Vá,

coloque

um vigia

HARPER LEE

Vá,

Go Set a Watchman

coloque

Da autora de *O sol é para todos*

um vigia

Tradução de
BEATRIZ HORTA

1ª edição

JOSÉ OLYMPIO
E D I T O R A
Rio de Janeiro, 2015

Em memória do senhor Lee e Alice

Copyright © Harper Lee, 2015

Título do original em inglês:
Go Set a Watchman

Revisão de tradução:
Marina Vargas

CIP-BRASIL. CATALOGAÇÃO NA FONTE
SINDICATO NACIONAL DOS EDITORES DE LIVROS, RJ

Lee, Harper, 1926-

L516v   Vá, coloque um vigia / Harper Lee; tradução Beatriz
Horta. – 1ª ed. – Rio de Janeiro: José
Olympio, 2015.

Tradução de: Go set a watchman
ISBN 978-85-03-01248-5

1. Romance americano. I. Horta, Beatriz. II. Título.

CDD: 813
15-25249   CDU: 821.111(73)-3

Reservam-se os direitos desta edição à
EDITORA JOSÉ OLYMPIO LTDA
Rua Argentina, 171 – Rio de Janeiro, RJ 20921-380 – Tel.: 2585-2000

Seja um leitor preferencial Record.
Cadastre-se e receba informações sobre nossos lançamentos e
nossas promoções.

Atendimento e venda direta ao leitor:
mdireto@record.com.br ou (21) 2585-2002

Impresso no Brasil
2015

PRIMEIRA PARTE

1

Desde a estação de Atlanta, ela vinha olhando pela janela do vagão-restaurante com um prazer quase físico. Enquanto tomava o café da manhã, viu ficarem para trás as últimas colinas da Geórgia e surgir a terra vermelha, e com ela, as casas de telhado de zinco no meio de quintais limpos onde cresciam as moitas de verbena de sempre, cercadas de pneus caiados. Sorriu ao ver a primeira antena de tevê no telhado de uma casa, sem pintura, de negros e foi se alegrando mais à medida que as casas iam se multiplicando.

Jean Louise Finch sempre fazia essa viagem de avião, mas resolveu ir de trem de Nova York até o Entroncamento de Maycomb em sua quinta visita anual à casa do pai. Em primeiro lugar, porque na viagem de avião anterior ela quase morreu de susto quando o piloto resolveu passar no meio de um tornado. Em segundo lugar, porque se fosse de avião, o pai teria de acordar às três da manhã, dirigir por mais de cento e sessenta quilômetros para buscá-la em Mobile e depois ainda trabalhar o dia inteiro: não era justo, ele agora já estava com setenta e dois anos.

Estava feliz por ter decidido ir de trem. Os trens não eram mais os mesmos de quando era criança e a nova experiência era divertida: ao apertar um botão na parede da cabine, aparecia na porta um gordo cabineiro; um comando fazia surgir uma pia de aço inoxidável na outra parede e até um apoio para os pés. Estava resolvida a não se deixar intimidar pelas diversas recomendações escritas nas paredes da cabine (uma "cabine privativa", como a chamavam), mas quando foi dormir na noite anterior, ficou imprensada contra a parede porque não obedeceu ao aviso que dizia PUXE ESTA ALAVANCA PARA BAIXO ATÉ OS SUPORTES, apuro do qual a tirou o cabineiro, deixando-a constrangida, pois tinha o hábito de dormir apenas com a parte de cima do pijama.

Por sorte, o cabineiro estava fazendo a ronda pelo corredor quando ela ficou presa naquela armadilha:

— Já vou tirá-la daí, senhorita — avisou em resposta aos socos que ela dava na parede da cabine.

— Não, por favor, apenas me diga como sair daqui.

— Posso ficar de costas para a senhorita enquanto resolvo o problema — respondeu ele, e assim fez.

Quando acordou naquela manhã, o trem sacolejava e bufava pelos campos de Atlanta, mas, obedecendo a outro aviso na cabine, ela continuou na cama até passarem por College Park. Vestiu-se com as roupas que costumava usar em Maycomb: calça comprida cinza, blusa preta sem mangas, meias brancas e mocassins. Embora ainda faltassem quatro horas para chegar, já podia ver a tia torcendo o nariz em desaprovação.

Quando começava a tomar a quarta xícara de café, a locomotiva da Crescent Limited grasnou feito um ganso gigante para outro trem da linha que ia para o Norte, cruzou com estrondo a ponte sobre o rio Chattahoochee e entrou no Alabama.

O Chattahoochee era largo, plano e lamacento. Estava baixo naquele dia; um banco de areia amarela tinha reduzido o seu curso a um fio d'água. "'Talvez ele cante no inverno'*", pensou. "Não me lembro de um verso sequer desse poema. Era: 'Tocando a flauta

---

* Alusão ao poema "The song of the Chattahoochee", do poeta americano Sidney Lanier (1842-1881). (N. do E.)

pelos vales selvagens?'* Não. Era dedicado a uma ave aquática ou a uma queda-d'água?"

Teve que reprimir com firmeza um princípio de alvoroço quando se deu conta de que o poeta Sidney Lanier devia ter sido parecido com seu primo, havia muito falecido, Joshua Singleton St. Clair, que tinha uma área de atuação literária que ia da região do Black Belt** a Bayou La Batre. A tia de Jean Louise com frequência descrevia o primo Joshua como um exemplo a seguir: um homem maravilhoso, poeta ceifado no auge da vida; Jean Louise devia se lembrar sempre de que ele era um orgulho para a família. Seus retratos eram elogiosos à família: o primo Joshua parecia um Algernon Swinburne rabugento.

Jean Louise sorriu ao se lembrar do pai contando a ela o restante da história. O primo Joshua tinha morrido cedo, era verdade, mas não pelas mãos de Deus, e sim pelas hostes de César.

Quando estava na universidade, o primo Joshua estudava muito e pensava em excesso: na verdade, achava que tinha saído diretamente do século XIX. Usava uma pelerine e botas de cano alto feitas sob medida, conforme modelo desenhado por ele. Foi detido pelas autoridades quando tentou matar a tiros o reitor da Universidade, que ele considerava pouco mais que um mero especialista em esgoto. O que sem dúvida era verdade, mas não justificava atacá-lo com uma arma letal. Depois de muito dinheiro ter sido distribuído, o primo Joshua foi tirado de circulação e viveu até o fim em instituições públicas para desequilibrados. Diziam que era uma pessoa razoável em todos os sentidos até alguém mencionar o reitor; então ele contorcia o rosto, adotava a postura de um grou, e assim permanecia por mais de oito horas, sem que nada nem ninguém conseguisse fazê-lo baixar

---

* Alusão à obra de William Blake *Canções da inocência e canções da experiência*. (N. do E.)

** O Cinturão Negro (Black Belt) é uma região agrícola de passado escravagista no sudeste dos Estados Unidos, que compreende os estados de Alabama, Arkansas, Flórida, Geórgia, Kentucky, Louisiana, Maryland, Mississippi, Alabama, Carolina do Sul, Carolina do Norte, Tennessee, Texas e Virgínia. Grande parte de sua população é de afro-americanos. (N. do E.)

a perna até que esquecesse o reitor. Quando estava bem, lia grego e deixou um pequeno volume de poesia que mandou imprimir em uma gráfica em Tuscaloosa. Os poemas eram tão à frente de seu tempo que ninguém ainda tinha conseguido decifrá-los, mas a tia de Jean Louise deixava o livrinho exposto, como quem não quer nada, em um lugar bem visível, em uma mesa na sala de estar.

Jean Louise riu alto e deu uma olhada em volta para ver se alguém tinha ouvido. O pai dela sabia como sabotar os discursos da irmã sobre a superioridade inata dos Finch: sempre contava à filha o restante da história, com um ar calmo e solene, embora Jean Louise por vezes pensasse distinguir nos olhos dele um brilho claramente irreverente. Ou seria apenas a luz batendo nas lentes dos óculos? Ela nunca soube.

A paisagem campestre e o trem tinham se reduzido a um suave balançar e, da janela até o horizonte, ela via apenas pastos verdes e vacas pretas. Perguntou-se por que nunca tinha considerado sua terra tão bonita.

A estação de Montgomery ficava em uma curva do rio Alabama, e quando ela saltou do trem para esticar as pernas e foi assaltada por sua monotonia, suas luzes e seus curiosos aromas, sentiu a familiaridade do reencontro. "Falta alguma coisa", pensou. Era o guarda-freios. Um homem que percorria os vagões por baixo do trem com um pé de cabra; ouvia-se um barulho metálico e depois *s-sss-sss*, subia uma fumaça branca e a sensação era de estar no interior de uma panela fervendo. "Hoje, essas coisas são lubrificadas."

Sem nenhum motivo aparente, foi tomada por um antigo temor. A última vez que estivera naquela estação tinha sido vinte anos antes, mas quando ainda era uma menina e ia para a capital com Atticus, morria de medo de que aquele trem chacoalhante caísse no rio e todos se afogassem. Mas quando voltou a embarcar, a caminho de casa, não pensou mais nisso.

O trem seguia estalando em meio a pinheirais e apitou com desprezo ao passar por uma maria-fumaça com sua chaminé, pintada de cores vibrantes, uma peça de museu parada em um desvio da estrada. Levava o letreiro de uma empresa madeireira, e a locomotiva da Crescent Limited podia engoli-la inteira com folga. Greenville, Evergreen, Entroncamento de Maycomb.

Tinha avisado ao maquinista para não esquecer de parar o trem para ela descer, mas, como era um velho, adivinhou o que ia acontecer: ele passaria pelo Entroncamento de Maycomb correndo feito louco e só ia parar o trem quatrocentos metros depois da pequena estação. Então, acenaria, se despedindo, e pediria desculpas, dizendo que quase tinha se esquecido dela. Os trens mudavam, mas os maquinistas permaneciam sempre os mesmos. Pregar peças em mocinhas que desembarcavam em estações de parada não obrigatória era uma marca registrada, e Atticus, que podia prever o que fariam todos os maquinistas de Nova Orleans a Cincinnati, estaria à espera dela conforme o combinado, não mais do que seis passos distante de onde ela tinha que desembarcar.

Sua casa era no condado Maycomb, distrito eleitoral de uns cento e doze quilômetros de comprimento por quase cinquenta em seu ponto mais largo, um lugar ermo, pontilhado de pequenos povoados, o maior dos quais era Maycomb, sede do governo do condado. Até uma época relativamente recente em sua história, o condado era tão isolado do restante do país que alguns dos seus habitantes, ignorando as preferências políticas dos sulistas nos últimos noventa anos, continuavam votando no Partido Republicano. Nenhum trem chegava até lá; o Entroncamento de Maycomb, um nome de cortesia, na verdade, ficava no condado Abbott, a trinta quilômetros de distância. O transporte rodoviário era irregular e não parecia levar a lugar nenhum, mas o governo federal tinha imposto a construção de uma ou duas estradas cortando os pântanos, dando assim aos moradores uma oportunidade de entrar e sair conforme desejassem. Mas pouca gente as usava, com razão. Para quem não queria muito, ali havia o suficiente.

O nome do condado e da cidade eram em homenagem ao coronel Mason Maycomb, um sujeito cuja equivocada autoconfiança e arrogante obstinação confundiam e intrigavam os que lutaram ao lado dele nas guerras contra os índios creek. A região onde ele atuava era levemente montanhosa ao norte e plana ao sul, nos limites da planície costeira. O coronel Maycomb, certo de que os índios não gostavam de lutar na planície, foi caçá-los nas regiões ao norte. Quando seu general descobriu que Maycomb vagava pelas colinas ao norte enquanto os creeks espreitavam em todas as moitas ao sul, mandou um índio amigo levar-lhe o recado: *Vá para o sul, maldição*. Ao receber a mensagem, o coronel Maycomb teve certeza de que se tratava de um golpe dos creek para enganá-lo (não eram liderados por um demônio ruivo de olhos azuis?). Ele então mandou prender o emissário índio aliado e continuou a avançar para o norte, até suas tropas ficarem totalmente perdidas na densa floresta, onde ficaram durante toda a guerra, consideravelmente confusos.

Anos depois, quando finalmente concluiu que a mensagem podia ser verdadeira no fim das contas, o coronel Maycomb começou a marchar para o sul e, no caminho, suas tropas encontraram colonos indo para o interior, que os avisaram de que as guerras indígenas tinham praticamente acabado. As tropas e os colonos se entrosaram de tal maneira que com o tempo se tornaram os antepassados de Jean Louise Finch, e o coronel Maycomb continuou avançando até onde hoje fica Mobile para se assegurar de que receberia o devido crédito por suas façanhas. A versão da história oficial não coincide com a verdade, mas esses foram os fatos como passaram de boca em boca através dos anos e como era do conhecimento de todos os moradores de Maycomb.

— ... suas malas, moça — avisou o cabineiro. Jean Louise seguiu-o do vagão-restaurante até sua cabine. Pegou dois dólares na carteira: um de praxe e outro por soltá-la quando ficou presa na cabine na noite anterior. O trem, é claro, passou batido pela estação e parou quatrocentos metros depois. O maquinista apareceu, sorrindo, e se desculpou, dizendo que quase tinha se esquecido dela. Jean Louise retribuiu o sorriso e esperou com impaciência que o cabineiro colocasse a escada amarela para ela descer do vagão. Ele deu a mão para ela descer e recebeu as duas notas.

O pai não estava esperando por ela.

Ela acompanhou os trilhos com o olhar até a estação e viu um homem alto na pequena plataforma. Ele desceu de um pulo e foi correndo ao encontro dela.

Agarrou-a em um abraço de urso, afastou-a, beijou-a na boca com força, em seguida a beijou com delicadeza.

— Aqui, não, Hank — murmurou ela, muito contente.

— Calma, moça — ele disse, segurando o rosto dela. — Se eu quiser, beijo você até na escada do tribunal.

O homem que tinha o direito de beijá-la na escada do tribunal era Henry Clinton, amigo da vida inteira, companheiro do irmão dela e, se continuasse a beijá-la daquele jeito, futuro marido. "Ame a quem quiser, mas se case com alguém da sua espécie" era um ditado que para ela equivalia a um instinto. Henry Clinton era da mesma espécie de Jean Louise, e por isso agora ela não considerava o ditado particularmente rígido.

Foram andando de braços dados pelos trilhos para pegar a mala dela.

— Como está o Atticus? — ela perguntou.

— Hoje está com câimbras nas mãos e nos ombros.

— Quando fica assim, ele não consegue dirigir, não é?

Henry fechou os dedos da mão direita até a metade e disse:

— Não consegue fechar a mão mais que isso. A srta. Alexandra tem que amarrar os sapatos e abotoar a camisa dele quando fica assim. Ele não consegue nem segurar a lâmina de barbear.

Jean Louise balançou a cabeça; estava crescida demais para se revoltar com a injustiça de tudo aquilo, mas ainda era jovem demais para aceitar sem protestar a doença que estava deixando o pai inválido.

— Os médicos não podem fazer nada?

— Você sabe que não — disse Henry. — Ele toma quatro gramas de aspirina por dia e só.

Henry pegou a pesada mala e eles foram caminhando até o carro. Ela se perguntou como ia se comportar quando chegasse a hora em que ela sentisse dor dia após dia. Dificilmente seria como Atticus: se alguém perguntasse como ele estava, ele respondia, mas jamais se queixava; mantinha o mesmo humor de sempre, de modo que, para saber como ele estava, era preciso perguntar.

Henry só soube por acaso. Um dia, quando estavam no arquivo do tribunal, procurando a escritura de uma propriedade, Atticus de repente ficou branco feito uma folha de papel e largou o livro de hipotecas que tinha nas mãos.

— O que foi? — perguntou Henry.

— Artrite reumatoide. Pode pegar o livro para mim? — pediu Atticus.

Henry perguntou desde quando sofria da doença, Atticus respondeu que faziam seis meses. Jean Louise sabia? Não. Então, era melhor contar a ela.

— Se você contar, ela vai vir para cá cuidar de mim. O melhor remédio para essa doença é não se deixar vencer por ela.

E assim se encerrou o assunto.

— Quer dirigir? — perguntou Henry.

— Não seja bobo — respondeu ela.

Embora ela fosse boa motorista, detestava manejar qualquer coisa mais complicada do que um alfinete de segurança; dobrar cadeiras era para ela uma fonte de profunda irritação; jamais aprendeu a andar de bicicleta, nem a escrever a máquina, e pescava com um caniço. Seu esporte preferido era o golfe, porque seus princípios básicos eram um taco, uma bolinha e um determinado estado de espírito.

Verde de inveja, observou a maestria com que Henry manejava o automóvel, sem o menor esforço. "Os carros o obedecem", pensou.

— Direção hidráulica? Câmbio automático? — ela perguntou.

— Exatamente — ele respondeu.

— Tudo bem, mas e se tudo travar e você não tiver como passar a marcha? Estaria encrencado, não?

— Nada vai travar.

— Como sabe?

— Basta acreditar. Vem cá.

Acreditar na General Motors. Pousou a cabeça no ombro dele.

— Hank, o que aconteceu de verdade? — ela perguntou.

Era uma velha brincadeira dos dois. Sob o olho direito de Hank começava uma cicatriz rosada que ia até o canto do nariz e seguia em diagonal cruzando o lábio superior. Tinha também seis dentes postiços que nem Jean Louise conseguia fazer com que ele tirasse para mostrar. Tinha voltado da guerra assim. Um alemão, mais para expressar seu descontentamento com o fim da guerra do que por qualquer outra coisa, dera-lhe uma coronhada com um fuzil. Jean Louise tinha decidido acreditar na história, se bem que, com todas aquelas armas que disparavam além do horizonte, os aviões B-17, as bombas aéreas e artefatos bélicos similares, é provável que Henry não tenha chegado muito perto dos alemães.

— Está bem, querida, vou contar. Estávamos em um porão em Berlim, todo mundo tinha bebido muito e começou uma briga... Você prefere ouvir alguma coisa mais plausível, não é? Agora aceita se casar comigo?

— Ainda não.

— Por que não?

— Quero fazer como o dr. Schweitzer e aproveitar a vida até os trinta.

— Ele aproveitou mesmo — disse Henry, sério.

Jean Louise se ajeitou sob o braço dele.

— Você sabe o que quero dizer — ela disse.

— Sei.

Os habitantes de Maycomb diziam que não havia rapaz melhor do que Henry Clinton; Jean Louise concordava. Henry era do extremo sul do condado. O pai tinha abandonado a mãe dele logo depois que ele nasceu, e então ela passou a trabalhar dia e noite em sua lojinha de esquina para que Henry pudesse frequentar as escolas públicas de Maycomb. A partir dos doze anos, ele passou a viver em uma pensão em frente à casa dos Finch, o que já o colocava em uma posição superior: era dono de si, não tinha de obedecer a cozinheiras, jardineiros, pai nem mãe. Também era quatro anos mais velho do que ela, o que na época fazia diferença. Ele a provocava; ela o adorava. Quando Henry tinha catorze anos, a mãe morreu, deixando-o quase nada. Atticus Finch cuidou do pouco obtido com a venda da loja (as despesas do enterro consumiram quase tudo) e, em segredo, ajudou com dinheiro do próprio bolso. Arrumou um emprego para ele depois da escola na mercearia Jitney Jungle; Henry terminou a escola e se alistou no exército, e depois da guerra foi para a faculdade estudar Direito.

Mais ou menos nessa época, um belo dia, o irmão de Jean Louise morreu de repente e, depois que esse pesadelo acabou, Atticus, que sempre pensara em deixar o escritório para o filho, passou a procurar um jovem substituto. Era natural que esse jovem fosse Henry, e, no devido tempo, ele se tornou seu braço direito, seus olhos, suas mãos. Henry sempre respeitara Atticus Finch, sentimento que em pouco tempo se transformou em afeto e Henry passou a considerá--lo um pai.

Mas não considerava Jean Louise uma irmã. Nos anos em que esteve longe, primeiro na guerra e depois na faculdade, ela tinha deixado de ser a menina briguenta e irascível que vivia de macacão para se tornar uma réplica razoável de ser humano. Henry e ela começaram a namorar durante as duas semanas de férias que ela passava em casa todos os anos e, embora ela ainda se comportasse como um garoto de treze anos e detestasse adornos femininos, ele via algo tão intensamente feminino nela que se apaixonou. Era uma pessoa agradável de olhar e de conviver na maior parte do tempo, embora não fosse, em nenhum sentido, uma pessoa fácil. Tinha um espírito inquieto que ele não conseguia compreender, mas sabia que era a garota certa para ele. Ia protegê-la, ia se casar com ela.

— Cansada de Nova York? — ele perguntou.

— Não.

— Se me der carta branca nessas duas semanas, faço você se cansar de lá.

— Está me fazendo uma proposta indecorosa?

— Sim.

— Vá para o inferno, então.

Henry parou o carro. Desligou o motor, virou-se para olhar para ela. Ela sempre sabia quando ele ficava sério: o cabelo cortado muito rente se eriçava como uma escova, o rosto ruborizava, a cicatriz se avermelhava.

— Querida, quer que eu fale como um cavalheiro? Srta. Jean Louise, atingi um status financeiro que me permite sustentar duas pessoas. Eu, como o velho Israel do Antigo Testamento, trabalhei durante sete anos nos vinhedos da universidade e nos pastos do escritório do seu pai por você...

— Vou dizer a Atticus para obrigá-lo a ficar mais sete anos.

— Que horrível.

— Além do mais, não foi Israel, foi Jacó. Não, os dois eram a mesma pessoa. Mudavam de nome a cada três versículos. Como vai a minha tia?

— Você sabe muito bem que ela está ótima há trinta anos. Não mude de assunto.

Jean Louise franziu o cenho.

— Henry — ela disse, séria —, vou ter um caso com você, mas não me casar.

Acertou em cheio.

— Não seja tão infantil, Jean Louise! — Henry disparou e, esquecendo as recentes inovações da General Motors, pôs a mão na marcha e pisou na embreagem com força. Como não houve resposta, girou violentamente a chave na ignição, apertou alguns botões e o carro deslizou suave e tranquilamente pela estrada.

— Demora a acelerar, não? Não serve para andar na cidade — ela concluiu.

Henry olhou para ela furiosamente e perguntou:

— O que quer dizer com isso?

Mais um minuto e aquela conversa ia virar uma discussão. Henry estava sério. Era melhor irritá-lo, assim ele ficava quieto e ela podia pensar no assunto.

— Onde você arrumou essa gravata horrorosa? — ela perguntou.

Pronto.

Ela estava quase apaixonada por ele. "Não, é impossível", pensou. "Ou está apaixonada, ou não está; o amor é a única coisa do mundo que é inequívoca. Existem muitos tipos de amor, é claro, mas todos eles ou se sente ou não se sente."

Ela era uma pessoa que, diante de uma saída fácil, sempre escolhia o caminho mais difícil. A saída mais fácil naquele caso seria se casar com Henry e ser sustentada por ele. Alguns anos depois, quando os filhos estivessem grandinhos, apareceria o homem com quem ela devia ter se casado desde o início. Haveria exame de consciência de ambas as partes, lamúrias e preocupações, longos olhares trocados na escadaria dos Correios e sofrimento para todos. E quando deixassem para trás os gritos e os princípios morais elevados, restaria apenas mais uma aventura sem graça, no estilo do clube de campo de Birmingham, e um inferno privado criado por eles mesmos, equipado com os mais avançados eletrodomésticos Westinghouse. Hank não merecia isso.

Não. Por enquanto, ia tomar o árduo caminho da solteirice. Resolveu restabelecer a paz com honra:

— Querido, desculpe, desculpe mesmo — ela pediu, sincera.

— Tudo bem — disse Henry, e deu um tapinha no joelho dela. — É que às vezes tenho vontade de matar você.

— Eu sei que sou horrível.

Henry olhou para ela.

— Você é diferente, querida. Não sabe dissimular.

Ela o encarou.

— Como assim?

— Bom, em geral, a maioria das mulheres, antes de casar, é sorridente e agradável diante do noivo. Escondem o que pensam. Você, ao contrário, quando detesta alguma coisa, fica detestável, querida.

— Não é melhor o homem saber com quem está se metendo?

— É, mas não vê que desse jeito nunca vai agarrar um homem?

Ela mordeu a língua diante do óbvio e perguntou:

— Como posso me tornar uma mulher sedutora?

Henry se animou com a conversa. Aos trinta anos, ele gostava de dar conselhos, talvez por ser advogado.

— Em primeiro lugar, controle a língua — ele disse calmamente.

— Não discuta com um homem, principalmente quando sabe que pode ganhar a discussão. Sorria bastante. Faça com que ele se sinta importante. Diga que ele é maravilhoso e faça tudo para ele.

Ela abriu um sorriso radiante e disse:

— Hank, concordo com tudo o que disse. Há anos não conheço um homem tão perspicaz, você é o máximo, posso acender seu cigarro? Que tal?

— Horrível.

Voltaram a ser amigos.

2

Com cuidado, Atticus Finch levantou o punho da manga esquerda e voltou a baixá-lo. Uma e quarenta. Às vezes, como naquele dia, usava dois relógios: um antigo, de bolso, cuja corrente os filhos mordiam quando os dentes estavam nascendo, e um de pulso. O primeiro, usava por hábito; o outro, para saber as horas quando a rigidez dos dedos o impedia de pegar o relógio no bolso. Tinha sido um homem alto até que a idade e a artrite o reduziram à altura mediana. Completara setenta e dois anos no mês anterior, mas Jean Louise sempre pensava nele como alguém na casa dos cinquenta: não conseguia se lembrar dele mais jovem, e ele parecia não envelhecer.

Em frente à cadeira onde ele estava sentado havia um suporte de metal para partituras no qual repousava *O estranho caso de Alger Hiss*. Atticus se inclinou um pouco para a frente, um sinal de que desaprovava o que estava lendo. Um estranho não notaria nenhuma irritação no semblante dele, pois raramente demonstrava esse sentimento, mas um amigo talvez esperasse um seco *hum*: as sobrancelhas de Atticus estavam levantadas e a boca era uma linha fina e suave.

— *Hum* — resmungou.

— O que foi, querido? — perguntou a irmã.

— Não entendo como um homem como esse tem a petulância de opinar sobre o caso Hiss. É como se Fenimore Cooper resolvesse escrever os Romances Waverley.*

— Por que, querido?

— Ele tem uma confiança pueril na integridade dos funcionários públicos e parece achar que o Congresso é conivente com essa aristocracia. Não entende nada de política americana.

A irmã de Atticus deu uma olhada na capa empoeirada do livro.

— Não conheço o autor — disse, e assim condenou o livro para sempre. — Mas não se preocupe, querido. Eles já não deviam ter chegado?

— Não estou preocupado, Zandra. — Atticus olhou para a irmã, bem-humorado. Ela era uma mulher difícil, mas era melhor do que ter Jean Louise sempre em casa se sentindo triste. Quando a filha ficava triste, andava sem parar de um lado para o outro, e Atticus gostava que as mulheres de sua casa ficassem tranquilas, e não limpando cinzeiros sem parar.

Ouviu um carro entrar na garagem e duas portas baterem, e em seguida ouviu a porta da frente bater. Afastou o suporte de partitura cuidadosamente com os pés e tentou em vão se levantar da poltrona sem se apoiar em alguma coisa; conseguiu na segunda tentativa e tinha acabado de recuperar o equilíbrio quando Jean Louise se atirou em cima dele. Aguentou o abraço e retribuiu como pôde.

— Atticus... — disse ela.

— Por favor, Hank, leve a mala dela para o quarto — pediu Atticus por cima do ombro da filha. — Obrigado por buscá-la na estação.

Jean Louise tentou dar um beijinho na tia, mas não chegou a tocá-la com os lábios; pegou um maço de cigarros na bolsa e jogou-o no sofá.

— Como está o reumatismo, tia?

— Melhorou um pouco, querida.

— E você, Atticus?

— Melhorei um pouco, querida. Fez boa viagem?

---

* Série de romances escritos por Sir Walter Scott (1771-1832). (N. do E.)

— Fiz. — Ela desabou no sofá.

Hank voltou após cumprir sua tarefa, pediu que Jean Louise abrisse espaço e sentou-se ao lado dela.

Jean Louise bocejou e se espreguiçou.

— Quais são as novidades? — perguntou. — Nos últimos tempos, só sei o que leio nas entrelinhas da *Maycomb Tribune*. Vocês nunca me escrevem.

A tia Alexandra disse:

— Você deve ter ficado sabendo sobre a morte do filho do primo Edgar. Foi muito triste.

Jean Louise viu Henry e o pai dela se entreolharem. Atticus disse:

— Um dia, ele chegou em casa tarde, suado, depois de participar de um jogo de futebol, e atacou a geladeira. Depois, comeu uma dúzia de bananas, que empurrou goela abaixo com meio litro de uísque. Morreu uma hora depois. Não foi nem um pouco triste.

— Uau — disse Jean Louise.

Alexandra se zangou:

— Atticus! Você sabe que ele era o queridinho do Edgar.

Henry disse:

— *Foi* horrível, srta. Alexandra.

— O tio Edgar ainda faz a corte para você, tia? Acho que depois de onze anos ele já deveria tê-la pedido em casamento — brincou Jean Louise.

Atticus franziu o cenho, em alerta. Observou como o demônio dentro dela se agitava e a dominava: as sobrancelhas, como as dele, estavam erguidas; sob os cílios grossos, os olhos se arregalaram e um dos cantos da boca se curvou de forma ameaçadora. Quando ela ficava assim, só Deus e o poeta Robert Browning sabiam o que era capaz de dizer.

A tia protestou:

— Por favor, Jean Louise, Edgar é primo de primeiro grau, meu e do seu pai.

— A essa altura do campeonato, isso não deveria fazer tanta diferença, tia.

Rapidamente, Atticus perguntou:

— Como vão as coisas na cidade grande?

— No momento, quero saber desta cidade grande aqui. Vocês nunca escrevem me contando nada. Tia, preciso que me conte as notícias de um ano inteiro em quinze minutos. — Ela deu um tapinha no braço de Henry, mais para impedir que começasse a falar de trabalho com Atticus do que por qualquer outro motivo. Henry interpretou como um gesto de carinho e retribuiu.

— Bom... — disse Alexandra. —Você deve ter ouvido falar no que houve com os Merriweather. Foi muito triste.

— O que aconteceu?

— Não estão mais juntos.

— O quê? — estranhou Jean Louise, genuinamente surpresa. — Se separaram?

— É — confirmou a tia.

Jean Louise virou-se para o pai.

— Os Merriweather? Há quanto tempo eram casados?

Atticus olhou para o teto, lembrando. Era um homem minucioso.

— Quarenta e dois anos, eu fui ao casamento — ele informou.

Alexandra acrescentou:

— Notamos que havia alguma coisa errada quando eles começaram a se sentar em lados opostos na igreja...

Henry disse:

— Ficavam se olhando de cara feia domingo após domingo...

— Não demorou muito para eles irem até o escritório pedir que eu cuidasse dos papéis do divórcio — disse Atticus.

— Você cuidou? — Jean Louise olhou para o pai.

— Cuidei.

— Qual era o motivo?

— Adultério.

Jean Louise balançou a cabeça, surpresa. "Meu Deus", pensou, "deve ter alguma coisa na água..."

A voz de Alexandra interrompeu suas elucubrações:

— Jean Louise, você veio de trem *assim*?

Jean Louise, que estava distraída, levou um momento para entender o que a tia quis dizer com "assim".

— Ah, sim. Mas espera um pouco, tia, saí de Nova York de meias, luvas e saltos. Só vesti esta roupa depois que passamos de Atlanta.

A tia torceu o nariz.

— Espero que desta vez você tente se vestir melhor enquanto está aqui. Os moradores da cidade têm uma má impressão de você. Acham que é uma... hum... pobretona.

Jean Louise desanimou. A Guerra dos Cem Anos estava se aproximando de seu vigésimo sexto ano e não dava sinais de mais nada além de alguns períodos de inquietas tréguas.

— Tia, vim passar duas semanas em casa sem fazer nada, pura e simplesmente. Duvido que vá sair de casa. Já passo o ano inteiro espremendo meu cérebro...

Ela se levantou e foi até a lareira, olhou, furiosa, para a cornija e se virou.

— Se as pessoas de Maycomb não tiverem uma opinião a meu respeito, terão outra. De qualquer forma, não estão acostumadas a me ver arrumada. — Ela adotou um tom mais paciente: — Olha, se eu de repente aparecer toda arrumada, vão dizer que virei nova-iorquina. E agora você vem me dizer que eles acham que não ligo para a opinião deles quando uso calças compridas. Meu Deus, tia, Maycomb inteira sabe que, até ficar moça, eu só andava de macacão...

Atticus esqueceu a dor nas mãos. Inclinou-se para amarrar com esmero os cadarços do sapato e levantou o rosto corado, mas sério.

— Chega, Scout, peça desculpas à sua tia — mandou. — Não comece a brigar assim que entra em casa.

Jean Louise sorriu para o pai; quando queria repreendê-la, sempre usava seu apelido de infância. Ela suspirou.

— Sinto muito, tia. Sinto muito, Hank. Me sinto oprimida, Atticus.

— Então volte para Nova York e faça como bem entender.

Alexandra levantou-se e alisou as barbatanas do vestido, cujas protuberâncias a cobriam de cima a baixo.

— Comeu alguma coisa no trem?

— Sim — ela mentiu.

— Então que tal um café?

— Sim, obrigada.

— Hank?

— Aceito, obrigado.

Alexandra saiu da sala sem consultar o irmão.

— Ainda não aprendeu a beber café? — quis saber Jean Louise.

— Não — respondeu o pai.

— Nem uísque?

— Não.

Cigarros e mulheres?

— Não.

— Tem se divertido ultimamente?

— Vou levando.

Jean Louise juntou as mãos como se segurasse um taco de golfe.

— Como vai? — perguntou.

— Não é da sua conta.

— Ainda sabe manejar o taco?

— Sim.

— Você jogava bem, para quem não enxerga nada.

Atticus reclamou:

— Não tem nada de errado com os meus...

— Só não enxerga.

— Se importaria de provar essa afirmação?

— Sim, senhor. Amanhã às três, pode ser?

— Certo... Não posso. Tenho uma reunião. Que tal segunda-feira? Hank, temos algum compromisso na segunda à tarde?

Hank se remexeu no sofá.

— Nada, só a hipoteca à uma da tarde. Não deve levar mais de uma hora.

Atticus disse à filha:

— Então, sou todo seu. Pelo jeito, srta. Presunçosa, vai ser um cego cuidando de outro.

Jean Louise tinha pegado na lareira um velho e enegrecido taco de madeira que durante anos teve a dupla função de atiçador de fogo. Esvaziou uma grande escarradeira antiga cheia de bolas de golfe, deitou-a de lado e chutou as bolas no meio da sala. Estava colocando--as de volta na escarradeira quando a tia voltou com uma bandeja de café, xícaras, pratos e bolo.

— Você, seu pai e seu irmão acabaram com esse tapete. Hank, quando eu vim morar aqui para cuidar da casa, minha primeira providência foi tingir o tapete da cor mais escura possível. Lembra como ele era? Minha nossa, tinha uma trilha escura que ia daqui até a lareira e não saía com nada...

— Lembro, sim, senhora — disse Hank. — Temo ter contribuído para isso.

Jean Louise colocou o taco de volta no lugar, junto com os tenazes da lareira, recolheu as bolas de golfe e jogou-as na escarradeira. Sentou-se no sofá e observou Hank pegar as bolas que tinham escapado. "Nunca me canso de vê-lo se mover", ela pensou.

Ele voltou para o sofá, tomou uma xícara de café escaldante com uma rapidez espantosa e disse:

— Sr. Finch, é melhor eu ir.

— Espere um instante e vou com você — pediu Atticus.

— Está se sentindo bem?

— Certamente. Jean Louise — perguntou de repente —, quanto do que acontece aqui sai nos jornais?

— Você se refere à política? Bom, toda vez que o governador comete uma indiscrição, sai nos tabloides. Fora isso, nada.

— Eu me refiro à tentativa da Corte Suprema de atingir a imortalidade.

— Ah, isso. Bem, segundo o *Post*, a impressão é de que temos um linchamento a cada café da manhã; o *Journal* não dá a mínima, e o *Times* está tão preocupado com seu compromisso com a posteridade que mata qualquer um de tédio. Não prestei nenhuma atenção a nada disso, a não ser pelos boicotes aos ônibus e por aquele assunto do Mississippi. Atticus, o fato de o Estado não ter conseguido uma solução favorável nesse caso foi o maior erro que cometemos desde a Carga de Pickett na Guerra Civil.

— Foi mesmo. Imagino que a imprensa tenha feito a festa, não?

— Ficaram loucos.

— E a Associação Nacional para o Progresso das Pessoas de Cor?

— Não sei nada sobre esse grupo, só que no ano passado um funcionário incauto me mandou selos de Natal da Associação, então colei-os em todos os cartões para a família. O primo Edgar recebeu o dele?

— Recebeu e me deu algumas sugestões do que fazer com você.

— Atticus abriu um grande sorriso.

— Como o quê?

— Ir até Nova York, agarrá-la pelos cabelos e dar-lhe uma surra. Edgar sempre desaprovou o seu comportamento, acha que é independente demais...

— Aquele velho bagre convencido nunca teve senso de humor. É um bagre mesmo, com "bigode" e boca grande. Imagino que ache que o fato de eu morar sozinha em Nova York significa que vivo em pecado.

— Algo assim — concordou Atticus, que se levantou da poltrona e fez sinal para Henry ir saindo.

Henry se virou para Jean Louise:

— Às sete e meia, querida?

Ela concordou com a cabeça e olhou para a tia de rabo de olho.

— Tudo bem se eu usar minhas calças compridas?

— Não, senhora — respondeu Hank.

— Muito bem, Hank — reprovou Alexandra.

3

Não havia dúvida: Alexandra Finch Hancock era imponente de qualquer ângulo: de costas era tão inflexível quanto de frente. Jean Louise sempre imaginava, sem jamais perguntar, onde ela arrumava aquelas cintas modeladoras que levantavam os peitos a uma altura incrível, estreitavam a cintura, realçavam os quadris e davam a impressão de que, um dia, a tia Alexandra tinha tido um corpo de violão.

De todos os parentes, a irmã do pai era a que mais conseguia tirar Jean Louise do sério. A tia Alexandra nunca tinha sido explicitamente cruel com ela — na verdade, nunca foi cruel com nenhum ser, exceto com os coelhos que comiam suas azaleias, que ela envenenava —, mas em certos momentos, em seu próprio ritmo e à sua própria maneira, tinha transformado a vida de Jean Louise em um inferno. Agora que Jean Louise era adulta, não conseguiam conversar por mais de quinze minutos sem adotar pontos de vista irreconciliáveis, o que era estimulante no caso das amizades, mas, em se tratando de relações familiares, produzia apenas uma cordialidade incômoda. Havia tantas coisas na tia que, no fundo, Jean Louise apreciava quando as duas estavam a meio continente de distância, mas que pessoalmente eram intoleráveis. No entanto, desapareciam quando Jean Louise analisava seus motivos. Alexandra era uma dessas pessoas que passavam pela vida sem nenhum custo para si mesmas; se tivesse sido obrigada a pagar qualquer custo emocional durante sua vida terrena, Jean Louise podia imaginá-la indo à recepção celeste para exigir reembolso. Alexandra era casada havia trinta e três anos e, se isso significava alguma coisa para ela, nunca demonstrava. Tivera um filho, Francis, que, na opinião de Jean Louise, parecia e se comportava como um equino e que, havia tempos, tinha deixado Maycomb para assumir a gloriosa função de corretor de seguros em Birmingham. Melhor assim.

Alexandra era e continuava sendo tecnicamente casada com um homenzarrão plácido chamado James Hancock, que administrava com muita competência um armazém de algodão durante seis dias por semana e pescava no sétimo. Em um domingo, quinze anos antes, mandou um recado para a mulher por meio de um negrinho de seu acampamento de pesca no rio Tensas avisando que ia ficar por lá e não tinha intenção de voltar. Depois de se certificar de que não havia nenhuma mulher na história, não deu a mínima. Francis decidiu transformar aquilo em uma cruz que carregaria na vida e nunca entendeu por que o tio Atticus manteve ótimas relações, ainda que distantes, com o cunhado (achava que Atticus devia ter tomado alguma atitude), e tampouco compreendia por que a mãe não tinha ficado arrasada com o comportamento excêntrico, e portanto imperdoável, do pai. Tio Jimmy, ao ficar sabendo da atitude de Francis, mandou outro recado do mato: estava disposto a encontrar o filho, caso este quisesse dar-lhe um tiro, mas Francis nunca fez nada. Finalmente recebeu um terceiro recado do pai: "Se não vem me enfrentar como um homem, fique de bico calado."

A deserção do tio Jimmy não causou a mínima perturbação no horizonte tranquilo de Alexandra: seus lanches para a Sociedade Missionária continuaram sendo os melhores da cidade; suas atividades nas três associações culturais de Maycomb se intensificaram; e aumentava sua coleção de objetos de opalina quando Atticus conseguia tirar algum dinheiro de tio Jimmy. Em resumo: ela desprezava os homens e vivia muito bem sem eles. Que o filho tenha desenvolvido todas as características latentes de uma pessoa tão insólita quanto uma nota de três dólares tinha escapado à sua atenção — só sabia que gostava do fato de ele morar em Birmingham, pois era opressivamente devotado a ela, que se sentia na obrigação de tentar retribuir, o que fazia sem nenhuma espontaneidade.

Para todos os que participavam da vida do condado, no entanto, Alexandra era a última de sua espécie: suas boas maneiras eram do tempo dos barcos fluviais e dos colégios internos; era sempre a primeira a defender os princípios morais; era repressora, além de fofoqueira incurável.

Quando Alexandra frequentou a escola de etiqueta e boas maneiras, o conceito de autocrítica não constava em nenhum dos livros, então ela não conhecia seu significado; jamais se entediava e, se tivesse a menor oportunidade, exercia sua prerrogativa real: resolvia, aconselhava, advertia e prevenia.

Ignorava completamente que, com um movimento da língua, podia mergulhar Jean Louise em um conflito moral e fazer a sobrinha duvidar dos próprios motivos e das boas intenções, fazendo tremer as cordas protestantes e filisteias da consciência de Jean Louise até que vibrassem como uma cítara fantasmagórica. Se Alexandra tivesse tocado os pontos fracos de Jean Louise intencionalmente, poderia ter pendurado mais um escalpo no cinto, mas, após anos de estudos táticos, Jean Louise conhecia o inimigo. Embora pudesse acabar com ela, ainda não sabia como consertar os estragos que causava.

A última vez que batera de frente com Alexandra fora quando o irmão morreu. Depois do enterro de Jem, as duas estavam na cozinha limpando os restos do banquete tribal que sempre acompanhava as mortes em Maycomb. A velha cozinheira dos Finch, Calpúrnia, tinha ido embora para não mais voltar quando soube da morte de Jem. Alexandra atacou como Aníbal, o cartaginês:

— Jean Louise, acho que está na hora de você voltar para casa de uma vez por todas. Seu pai precisa muito de você.

Devido à grande experiência, Jean Louise reagiu imediatamente. "Mentira", pensou. "Se Atticus precisasse de mim, eu saberia. Não posso explicar como, porque você não me escuta."

— Meu pai precisa de mim? — ela perguntou.

— Sim, querida. Você certamente sabe disso, eu não deveria precisar dizer.

"Pois diga. Me coloque no meu lugar. Lá vem você, pisando com seus tamancos no nosso terreno particular. Pois fique sabendo que papai e eu nem tocamos no assunto."

— Tia, se Atticus precisar de mim, sabe que vou ficar. Mas, no momento, ele precisa tanto de mim quanto um deserto precisa de areia. Nós dois juntos, aqui nesta casa, seríamos muito infelizes. Ele sabe disso, eu também. Não vê que, se não voltarmos a fazer o que fazíamos antes de tudo isso acontecer, vamos demorar muito mais para nos recuperarmos? Tia, não espero que entenda, mas, sinceramente, o melhor que posso fazer por Atticus é o que tenho feito: viver a minha vida. Ele só vai precisar de mim quando a saúde dele falhar, e não preciso dizer o que vou fazer se isso acontecer. Não vê?

Não, não via. Alexandra via o mesmo que Maycomb via, e Maycomb esperava que toda filha cumprisse com a sua obrigação. E a obrigação de uma filha para com o pai viúvo depois da morte do único filho era evidente: Jean Louise devia voltar para casa e ir morar com Atticus; era isso que uma filha deveria fazer, e aquela que não o fizesse não era uma filha.

— ... você pode arrumar um emprego no banco e passar os fins de semana na praia. Tem uma ótima turma em Maycomb agora, com muitos jovens. Você gosta de pintar, não gosta?

"Gosta de pintar." O que diabos Alexandra achava que ela fazia à noite em Nova York? O mesmo que o primo Edgar, provavelmente: reunião da Liga dos Estudantes de Arte todas as noites da semana, às oito. As moças desenhavam, pintavam aquarelas, escreviam breves parágrafos de prosa imaginativa. Para Alexandra, havia uma clara e desagradável diferença entre alguém que pinta e um pintor; alguém que escreve e um escritor.

— ... há muitos lugares bonitos no litoral e você vai ter os fins de semana livres.

"Meu Deus. Ela me pega em um momento em que estou a ponto de enlouquecer e me mostra os caminhos que devo seguir. Como pode ser irmã dele e não ter a mais remota ideia do que se passa na cabeça dele, na minha, na de qualquer pessoa? Ó Senhor, por que não nos deste a capacidade de explicar as coisas à tia Alexandra?"

— Tia, é fácil dizer a alguém o que deve fazer...

— Mas muito difícil conseguir que o faça. Essa é a razão da maior parte dos problemas do mundo: as pessoas que não fazem o que lhes dizem.

Pronto, estava decidido, definitivamente. Jean Louise ia ficar em casa. Alexandra contaria a Atticus, e isso faria dele o homem mais feliz do mundo.

— Tia, não vou ficar em casa e, se eu ficasse, Atticus seria o homem mais infeliz do mundo... Mas não se preocupe, ele entende perfeitamente e tenho certeza de que, se quiser, vai fazer com que Maycomb entenda também.

O punhal penetrou fundo, de repente:

— Jean Louise, seu irmão se preocupou com a sua falta de consideração até o dia em que morreu!

Caía uma chuva fraca sobre o túmulo dele agora, naquela noite quente. "Você nunca me disse isso, nem sequer pensou uma coisa dessas; se tivesse pensado, teria me dito. Você era assim. Descanse em paz, Jem."

Ela se torturou: "Não tenho consideração, é verdade. Sou egoísta, cabeça-dura, como demais e me sinto um livro de orações: Senhor, perdoai-me por não fazer o que devia e fazer o que não devia... ah, inferno."

Ela voltou para Nova York com a consciência tão pesada que nem Atticus conseguiu aliviá-la.

Isso tinha sido dois anos antes, e desde então Jean Louise tinha parado de se preocupar com a própria falta de consideração, e Alexandra a tinha livrado desse peso com o único gesto de generosidade de toda a sua vida: quando Atticus passou a sofrer de artrite, foi morar com ele. Jean Louise ficou muito grata a ela. Se Atticus soubesse do acordo tácito a que a irmã e a filha tinham chegado, jamais as perdoaria. Ele não precisava de ninguém, mas era uma excelente ideia ter alguém por perto, para ficar de olho nele, abotoar-lhe a camisa quando as mãos não obedeciam e cuidar da casa. Calpúrnia tinha cuidado disso até seis meses antes, mas estava tão velha que Atticus executava mais tarefas domésticas do que ela, que então voltou para casa para desfrutar de uma merecida aposentadoria.

— Deixa que eu lavo isso, tia — disse Jean Louise quando Alexandra começou a recolher as xícaras de café. Levantou-se e se espreguiçou.

— Dá um sono danado quando o dia está assim

— São só essas xícaras — respondeu Alexandra. — Cuido disso num instante. Você fica aí.

Jean Louise obedeceu e deu uma olhada na sala. Os móveis antigos ficaram bem na casa nova. Olhou para a sala de jantar e viu no aparador a bandeja, a pesada jarra e as taças de prata que tinham sido da mãe brilhando em contraste com o suave verde-claro da parede.

"Que homem incrível", pensou ela. Um capítulo da vida dele se encerra, Atticus põe abaixo a antiga casa e constrói outra em um bairro novo da cidade. Eu não conseguiria fazer isso. Abriram uma sorveteria no lugar da antiga casa. Eu me pergunto quem a administra.

Foi para a cozinha.

— Então, como está Nova York? Quer mais uma xícara antes que eu jogue o resto do café fora? — perguntou Alexandra.

— Quero, por favor.

— Ah, por falar nisso, vou oferecer um café da manhã para você na segunda-feira.

— Tia! — se queixou Jean Louise.

Cafés da manhã eram algo típico de Maycomb. Eram oferecidos às moças que voltavam para casa; a homenageada aparecia na sala às dez e meia da manhã com a única finalidade de ser examinada pelas contemporâneas que tinham ficado ilhadas em Maycomb. Nessas circunstâncias, as amizades de infância raramente se renovavam.

Jean Louise tinha perdido o contato com quase todo mundo que tinha crescido com ela e não tinha nenhum interesse especial em reencontrar os amigos da adolescência. Os tempos de escola tinham sido os piores de sua vida, sentia um desapego quase cruel pela faculdade apenas para mulheres que frequentara, e nada a desagradava mais do que ficar no meio de um grupo de pessoas que brincavam de "Se Lembra de Tal e Tal Coisa?"

— A ideia de um café da manhã me parece infinitamente aterrorizante, mas eu adoraria — ela confessou.

— Foi o que eu imaginei, querida.

Uma onda de ternura a invadiu. Jamais poderia agradecer à tia o suficiente por ter ido morar com Atticus. Sentiu-se mal por um dia ter sido sarcástica com ela, que, apesar das cintas modeladoras, era meio indefesa, além de ter um refinamento que Jean Louise jamais teria. "Ela *é* mesmo a última da espécie", pensou. Nunca se deixou abalar por nenhuma guerra, apesar de ter passado por três; nada perturbava seu mundo, onde os cavalheiros fumavam na varanda ou na rede e as damas se abanavam com leques e bebiam água fresca.

— Como vai o Hank?

— Muito bem, querida. Sabe que foi eleito Homem do Ano pelo Clube Kiwanis? Recebeu um lindo diploma.

— Não, não sabia.

Homem do Ano do Clube Kiwanis, uma inovação maycombiana do pós-guerra, costumava significar Jovem de Futuro.

— Atticus ficou muito orgulhoso dele. Ele disse que Hank ainda não entende nada de contratos, mas que sabe muito de impostos.

Jean Louise sorriu. O pai dizia que uma pessoa precisava de pelo menos cinco anos para aprender Direito depois de terminar a faculdade: dois anos para praticar questões de economia, mais dois anos para estudar as leis do Alabama e, no quinto ano, reler a Bíblia e Shakespeare. Só então estava preparado para enfrentar qualquer tipo de circunstância.

— O que acha de Hank vir a ser seu sobrinho?

Alexandra parou de enxugar as mãos na toalha de prato. Virou-se e olhou bem para Jean Louise.

— Está falando sério?

— Talvez.

— Não tenha pressa, querida.

— Pressa? Tenho vinte e seis anos, tia, e conheço Hank desde sempre.

— É, mas...

— Qual é o problema, não o aprova?

— Não é isso, é que... Jean Louise, namorar um rapaz é uma coisa, casar-se com ele é outra. Precisa levar tudo em consideração. A origem de Henry...

— ... é exatamente igual à minha. Crescemos juntos.

— A família dele tem tendência ao alcoolismo...

— Tia, toda família tem.

Alexandra se empertigou.

— Os Finch, não.

— Tem razão. Nós apenas somos todos malucos.

— Não é verdade, e você sabe disso — zangou-se Alexandra.

— Não se esqueça de que o primo Joshua era doido de pedra.

— Você sabe que ele herdou isso do outro lado da família. Jean Louise, não há rapaz melhor no condado do que Henry Clinton. Seria um ótimo marido para qualquer moça, mas...

— Está dizendo que um Clinton não está à altura de uma Finch? Tia do coração, esse tipo de coisa acabou com a Revolução Francesa, ou começou com ela, não lembro direito.

— Não estou dizendo nada disso. É só que você precisa tomar cuidado com coisas assim.

Jean Louise sorriu, pronta para a briga. Ia começar de novo. "Senhor, por que fui falar nisso?" Teve vontade de se esbofetear. Se pudesse, a tia Alexandra arrumaria para Henry uma ótima garota de Wild Fork, limpa e roliça como uma vaca, e daria sua bênção aos dois. Era o que cabia a Henry na vida.

— Bem, não sei quão cuidadosa preciso ser, tia. Atticus ia adorar ter Hank oficialmente conosco. Você sabe que ele ia ficar muito feliz.

Ia mesmo. Atticus Finch tinha acompanhado com uma objetividade benigna a canhestra corte que Henry fazia à filha dele, dando conselhos quando solicitado, mas se recusando terminantemente a se intrometer

— Atticus é homem. Não entende muito dessas coisas.

Os dentes de Jean Louise começaram a doer.

— Que coisas, tia?

— Escute, Jean Louise, se tivesse uma filha, o que ia querer para ela? O melhor, naturalmente. Como a maioria das moças da sua idade, você não parece entender: ia gostar que sua filha se casasse com um homem que foi abandonado, junto com a mãe, pelo pai, que morreu bêbado, caído nos trilhos da estrada de ferro em Mobile? Clara Clinton era uma boa pessoa e teve uma vida triste, foi tudo muito triste, e você pensa em se casar com o fruto dessa união. É uma coisa muito séria.

Uma coisa muito séria, realmente. Jean Louise viu os óculos de aro dourado brilharem no rosto sério, sob uma cabeleira revolta, e o meneio de um dedo ossudo. Disse:

O problema, senhores, é de bebida;
Já que pediram minha orientação, ei-la:
Diz que, quando bêbado, bate na mulher,
*Então, senhores, vamos embriagá-lo! Façam suas apostas!**

Alexandra não achou graça nenhuma. Ficou muito aborrecida. Não conseguia entender o comportamento dos jovens modernos. Não que precisassem ser compreendidos, os jovens eram iguais em todas as gerações, mas aquela arrogância, a recusa em levar a sério as questões mais importantes da vida, a exasperavam e irritavam. Jean Louise estava prestes a cometer o pior erro de sua vida e ficava citando aqueles personagens de opereta como se nada fosse, rindo dela. Essa menina devia ter tido mãe. Atticus deixou que fizesse o

---

* Trecho da ópera cômica *Trial by Jury*, de Arthur Sullivan e W. S. Gilbert. (N. da T.)

que bem entendesse desde os dois anos de idade e olha no que deu. Agora precisava ser colocada no caminho certo, e logo, antes que fosse tarde demais.

— Jean Louise — disse Alexandra —, gostaria de lhe recordar alguns fatos da vida. Não... — Ela levantou a mão para pedir silêncio. — Tenho quase certeza de que você sabe do que estou falando, mas há algumas coisas que, na sua irreverência, você ignora, e, por Deus, vou lhe explicar. Apesar de morar na cidade, você é ingênua como um bebê. Henry não serve para você, jamais servirá. Nós, os Finch, não nos casamos com filhos de gentalha caipira, que é exatamente o que os pais de Henry eram ao nascer e o que foram durante toda a vida. Não posso chamá-los de nada melhor. Henry só se tornou o que é hoje graças ao seu pai, que cuidou dele desde criança, e porque veio a guerra e pagou pela educação dele. Por melhor que ele seja, vai continuar sendo gentalha, isso nunca sai da pessoa. Já reparou que ele lambe os dedos quando come bolo? Gentalha. Já o viu tossir cobrindo a boca? Gentalha. Sabia que ele teve problemas com uma moça na Universidade? Gentalha. Nunca o viu enfiar o dedo no nariz quando pensa que ninguém está olhando? Gentalha...

— Não é que ele seja gentalha, tia, é que ele é homem — ela argumentou calmamente.

Por dentro, porém, estava fervendo. "Mais alguns minutos e vai estar novamente de bom humor. Não consegue ser grosseira como eu estou prestes a ser. Não consegue ser vulgar, como Hank e eu. Não sei o que ela é, mas é melhor parar, ou vou dizer uma meia dúzia de coisas..."

— ... e, além disso, ele acha que pode construir uma carreira nesta cidade em cima do nome do seu pai. Que ousadia, querer assumir o lugar do seu pai na igreja metodista, tomar o lugar dele no escritório de advocacia, dirigindo pelo condado no carro dele. Comporta-se como se já fosse o dono desta casa, e qual é a reação de Atticus? Ele aceita, pronto. Aceita e gosta. A cidade inteira já está dizendo que Henry Clinton está tomando tudo o que Atticus tem...

Jean Louise parou de passar o dedo na beirada de uma xícara molhada na pia. Sacudiu o dedo, deixando cair uma gota d'água no chão e a esfregou no linóleo com o sapato.

— Tia — disse em tom cordial —, por que não vai ver se eu estou na esquina?

O ritual que Jean Louise e o pai realizavam todas as noites de sábado era antigo demais para ser ignorado. Ela entrou na sala, ficou diante da poltrona onde ele estava sentado e pigarreou.

Atticus abaixou a página do *Mobile Press* e olhou para ela. Ela deu uma volta devagar.

— O zíper está fechado? A costura das meias está reta? Meu cabelo está direito?

— Você está ótima — respondeu Atticus. — Andou xingando a sua tia.

— Não.

— Ela me disse.

— Fui um pouco grossa, mas não xinguei.

Quando Jean Louise e o irmão eram crianças, Atticus por vezes ressaltava para eles a diferença entre a simples escatologia e a blasfêmia. A primeira ele podia tolerar. Não tolerava, por outro lado, que se metesse Deus no meio. Por isso, os dois filhos nunca praguejavam na frente dele.

— Ela me tirou do sério, Atticus.

— Você não devia ter deixado. O que disse a ela?

Jean Louise contou. Atticus fez uma careta.

— Bom, mas é melhor fazerem as pazes. Querida, ela de vez em quando exagera, mas é uma boa pessoa...

— Ela falou mal do Hank, isso me irritou.

Atticus era um homem sensato, então deixou o assunto de lado.

A campainha da casa dos Finch era um instrumento místico, conseguia transmitir o estado de espírito de quem a tocava. Quando fez *ding-dooong!*, Jean Louise soube que era Henry e que ele estava contente. Correu para abrir a porta.

Sentiu seu cheiro agradável, remotamente masculino, quando ele entrou no saguão, mas o aroma de creme de barbear, tabaco, carro novo e livros empoeirados se dissipou quando ela se lembrou da conversa com a tia na cozinha. Subitamente, abraçou-o pela cintura e encostou a cabeça no peito dele.

— Por que isso? — perguntou Henry, contente.

— Por nada de especial. Vamos indo.

Henry olhou pela porta para Atticus, que continuava na sala.

— Trago-a cedo para casa, sr. Finch.

Atticus acenou com o jornal.

Quando saíram, já de noite, Jean Louise ficou pensando no que Alexandra faria se soubesse que a sobrinha estava mais perto de se casar com a gentalha do que jamais tinha estado na vida.

SEGUNDA PARTE

4

A cidade de Maycomb, no Alabama, devia sua localização à presença de espírito de um Sinkfield que, no alvorecer do condado, administrava uma hospedaria no ponto em que duas trilhas de porcos se cruzavam, a única hospedaria da região. O governador William Wyatt Bibb, com a intenção de garantir a tranquilidade do novo condado, enviou uma equipe de topógrafos para demarcar seu centro exato e lá instalar a sede do governo. Se Sinkfield não tivesse recorrido a um ousado estratagema para manter suas terras, Maycomb teria sido construída no meio do pântano de Winston, um lugar totalmente desprovido de interesse.

Em vez disso, Maycomb cresceu e se desenvolveu a partir de seu centro, a taverna Sinkfield, porque, certa noite, o proprietário tratou de embriagar os topógrafos e convenceu-os a mostrar os mapas e plantas: tirou um pedacinho de terra aqui, acrescentou um pouco acolá e colocou o centro do condado onde queria. Despachou-os no dia seguinte com seus mapas nas sacolas e mais cinco litros de aguardente, dois para cada um, mais um para o governador.

Jean Louise nunca tinha conseguido chegar a uma conclusão sobre se o golpe de Sinkfield foi sensato; colocou a jovem cidade a trinta quilômetros do único meio de transporte coletivo da época, os barcos fluviais, de forma que um homem que morasse no sul do condado levava dois dias para ir comprar mantimentos em Maycomb. Consequentemente, a cidade ficou do mesmo tamanho por mais de um século e meio. Sua principal razão de ser era o governo. O que a salvou de ser mais um encardido povoado do Alabama foi o grande número de profissionais de todo tipo: ia-se a Maycomb para arrancar um dente, consertar a carroça, ter o coração auscultado, depositar dinheiro no banco, tratar das mulas, salvar a alma, prorrogar a hipoteca.

O condado quase não recebia novos habitantes. As mesmas famílias casavam-se entre si até que os laços de parentesco ficaram totalmente emaranhados e todas as pessoas da cidade guardavam uma monótona semelhança. Até a Segunda Guerra, Jean Louise tinha laços de sangue ou de matrimônio com quase todos os habitantes, mas isso não era nada, comparado ao que acontecia no norte do condado. Lá havia uma comunidade chamada Old Sarum, composta por duas famílias que no começo viviam separadas e isoladas, mas, infelizmente, tinham o mesmo sobrenome. Os Cunningham e os Coningham se casaram entre si até que a grafia dos nomes passou a ser irrelevante — a menos que um Cunningham tentasse passar um Coningham para trás por causa da posse de terras e o caso fosse parar nos tribunais. A única vez que Jean Louise viu o juiz Taylor diante de um impasse no tribunal foi em uma disputa desse tipo. Jeems Cunningham declarou que a mãe às vezes assinava assim em documentos e papéis, embora, na realidade, fosse uma Coningham; não sabia escrever direito e costumava ficar olhando para o nada quando sentava na varanda da frente. Depois de passar nove horas ouvindo as excentricidades dos moradores de Old Sarum, o juiz Tyler recusou o caso por considerar o pedido uma tolice e declarou que esperava sinceramente que os litigantes estivessem satisfeitos por terem tido a oportunidade de se manifestar. Estavam. Era tudo que queriam desde o início.

Maycomb só teve uma rua pavimentada em 1935, por cortesia do presidente F. D. Roosevelt, mas ainda assim não era exatamente uma rua pavimentada. Por algum motivo, o então presidente decidiu que um descampado que ia desde a porta da Escola Primária de Maycomb até os dois caminhos que ladeavam o edifício da escola precisava de melhorias. As melhorias foram feitas, e o resultado foram várias crianças com joelhos ralados e feridas na cabeça e a determinação do diretor de que ninguém mais podia brincar de cabo de guerra na parte pavimentada. Assim as sementes dos direitos do Estado foram plantadas nos corações da geração de Jean Louise.

A Segunda Guerra transformou Maycomb: os rapazes voltavam para casa com ideias estapafúrdias para ganhar dinheiro e com pressa de recuperar o tempo perdido. Pintaram a casa dos pais com cores horrendas; caiaram as lojas da cidade e colocaram letreiros de néon; construíram casas de tijolos vermelhos onde antes havia milharais e pinheirais e acabaram com a antiga aparência da cidade. As ruas não foram apenas pavimentadas, mas também receberam nomes (Avenida Adeline, em homenagem à srta. Adeline Clay), que os moradores mais velhos se recusavam a usar; bastava dizer "a rua da casa dos Tompkins" e todo mundo sabia onde era. Depois da guerra, os jovens colonos do condado mudaram em bandos para Maycomb, construíram frágeis casebres de madeira, se casaram e tiveram filhos. Ninguém sabia muito bem como eles conseguiam se sustentar e teriam formado uma nova classe social se os demais moradores da cidade tomassem conhecimento da existência deles.

Embora a aparência de Maycomb tivesse mudado, os mesmos corações batiam no interior das novas casas, diante das batedeiras Mixmaster e dos aparelhos de tevê. Podia-se caiar o quanto se quisesse e instalar cômicos letreiros de néon, pois as velhas vigas de madeira se mantinham firmes sob mais esse peso.

— Você não gosta deste lugar, não é? Vi sua cara quando entramos — disse Henry.

— É só uma resistência conservadora a mudanças — respondeu Jean Louise, com a boca cheia de camarão frito. Estavam no restaurante do Hotel Maycomb, sentados em cadeiras cromadas em uma mesa para dois. O ar-condicionado marcava presença emitindo um ruído baixo e contínuo.

— A única coisa que me agrada é o fato de não cheirar mal como antes.

Uma mesa comprida com vários pratos, o cheiro de uma sala velha e mofada e o de gordura quente vindo da cozinha.

— Hank, o que é Gordura Quente na Cozinha?

— Hein?

— Era um jogo, uma brincadeira de crianças ou algo assim.

— Você está falando de chicote-queimado, querida. É quando duas crianças batem a corda bem rápido e você tem que pular sem tropeçar.

— Não, tem alguma coisa a ver com pique.

Ela não conseguia lembrar. Provavelmente se lembraria quando estivesse à beira da morte, mas naquele momento via apenas, de relance em sua mente, uma manga de camisa de sarja e o grito atropelado: "Gorduraquentenacozinha!" Perguntou-se de quem seria a manga da camisa e por onde andaria aquela pessoa. Devia estar casado, com filhos, morando em uma daquelas casinhas novas. Teve a estranha sensação de que o tempo tinha passado ao largo dela.

— Hank, vamos até o rio — pediu ela.

— Pensou que não fôssemos?

Henry sorriu para ela. Não sabia por que, mas, quando iam a Finch's Landing, Jean Louise voltava a ser como antes; era como se, ao respirar, extraísse algo do ar.

— Você parece o personagem principal de *O médico e o monstro* — ele brincou.

— Você tem assistido a muita televisão.

— Às vezes, tenho a impressão de que consegui segurar você, assim... — Henry cerrou o punho —, mas, quando acho que a agarrei bem forte, você escapa.

Jean Louise franziu o cenho.

— Sr. Clinton, se me permite uma observação de uma mulher do mundo: está dando bandeira.

— Como assim?

Ela sorriu.

— Não sabe como agarrar uma mulher, querido? — Ela esfregou a mão na cabeça como se tivesse o cabelo cortado à escovinha, franziu a testa e disse: — A mulher gosta que seu homem seja dominador e, ao mesmo tempo, distante, se é que isso é possível. Ele deve fazer com que ela se sinta indefesa, embora saiba que ela consegue aguentar várias toneladas sem muito esforço. Jamais deve demonstrar insegurança na frente dela e em hipótese alguma deve dizer que não a entende.

— *Touché*, querida — concordou Henry — Mas eu questionaria sua última afirmação. Sempre achei que as mulheres gostavam de ser consideradas estranhas e misteriosas.

— Não, elas gostam apenas de *parecer* estranhas e misteriosas. Por trás dos boás de plumas, todas as mulheres deste mundo querem um homem forte que as conheça como a palma da mão; que seja não apenas seu amante, mas o protetor de Israel. Uma bobagem, não acha?

— Então as mulheres querem um pai, e não um marido.

— É o que parece. Nesse sentido, os livros têm razão — admitiu ela.

— Você está muito sábia esta noite. Onde aprendeu tudo isso? — questionou Henry.

— Vivendo em pecado em Nova York — ela respondeu. Acendeu um cigarro e deu uma longa tragada. — Olhando os jovens e elegantes recém-casados da Madison Avenue... Conhece essa linguagem, querido? É muito engraçada... mas é preciso acostumar o ouvido: eles executam uma espécie de fandango tribal, mas de aplicação universal. Começa com as esposas extremamente entediadas porque os maridos estão tão cansados de trabalhar para ganhar dinheiro que não dão atenção a elas. Mas, quando elas começam a gritar, em vez de tentar entender, eles vão procurar um ombro amigo para chorar. Então, quando se cansam de falar de si mesmos, voltam para a esposa. Fica tudo bem por um tempo, até que o homem se cansa de novo, a mulher volta a gritar e começa tudo de novo. Os homens de hoje transformaram "a outra" em um divã de psicanalista, e a um preço muito menor.

Henry olhou fixamente para ela:

— Você nunca foi tão cínica. O que está acontecendo? — pergun'
tou ele.

Jean Louise piscou.

— Desculpe, querido. — Ela apagou o cigarro amassando-o no cinzeiro. — É só que tenho muito medo de estragar tudo me casando com o homem errado; quer dizer, errado para mim. Sou igual a todas as mulheres, e o homem errado me transformaria em uma megera que não para de gritar em tempo recorde.

— Por que tem tanta certeza de que vai se casar com o homem errado? Não sabe que sempre gostei de bater em mulher?

Uma mão negra estendeu a conta do jantar em uma bandeja. Ela conhecia aquela mão e olhou para cima.

— Olá, Albert, vestiram um paletó branco em você?

— Sim, srta. Scout — respondeu Albert. — Como está Nova York?

— Ótima — ela respondeu, e se perguntou quem mais em Maycomb ainda se lembraria de Scout Finch, bandoleira juvenil, criadora de casos renomada. Talvez só tio Jack, que às vezes a deixava totalmente constrangida diante das outras pessoas ao recitar todas as suas diabruras infantis. Ela o encontraria na igreja no dia seguinte; à tarde, faria uma longa visita a ele. Tio Jack era uma das alegrias que ainda restavam em Maycomb.

— Por que você sempre deixa a segunda xícara de café pela metade depois do jantar? — quis saber Henry.

Ela olhou para a xícara, surpresa. Ficava sem graça quando alguém, até mesmo Henry, apontava alguma de suas excentricidades. Era muito perspicaz da parte de Hank ter reparado nisso. Por que tinha esperado quinze anos para perguntar?

5

Ao entrar no carro, ela bateu a cabeça no teto com força.

— Maldição! Por que não fazem tetos mais altos? — Esfregou a testa até os olhos recuperarem o foco.

— Tudo bem, querida?

— Sim, estou bem.

Henry fechou a porta devagar, deu a volta no carro e sentou-se ao lado dela.

— Está vivendo na cidade há muito tempo. Não anda de carro lá, não é? — ele perguntou.

— Não. Daqui a pouco, vão fabricar carros com meio metro de altura. No ano que vem, teremos de andar neles deitados.

— Como se fôssemos ser disparados de um canhão — disse Henry.

— De Maycomb a Mobile em três minutos.

— Eu me contentaria com um velho Buick, daqueles quadradões. Lembra? Ficávamos sentados a quase um metro e meio do chão.

— Lembra quando o Jem caiu do carro? — perguntou Henry.

Ela riu.

— Usei isso contra ele durante semanas... Quem não conseguisse chegar ao riacho Barker sem cair do carro era um lesado.

Em um passado já nebuloso, Atticus tinha um velho carro de passeio com teto de lona e certa vez levou Jem, Henry e Jean Louise para nadar no riacho Barker. Quando passaram por uma elevação especialmente alta na estrada, Jem foi atirado para fora do carro. Atticus continuou dirigindo tranquilamente até chegarem ao riacho, pois Jean Louise não tinha a mínima intenção de avisar ao pai que o irmão tinha caído e impediu que Henry o fizesse agarrando o dedo dele e puxando-o para trás. Quando chegaram ao riacho, Atticus virou-se para o banco de trás e exclamou, animado:

— Todo mundo para fora! — E o sorriso congelou no rosto dele. — Cadê o Jem?

Jean Louise respondeu que ele já devia estar chegando. Quando Jem apareceu, bufando, suado e sujo devido à corrida forçada, passou direto por eles e mergulhou no riacho de roupa e tudo. Segundos depois, um rosto com expressão assassina apareceu à tona e desafiou:

— Vem cá, Scout! Hank, venha aqui, se você é homem!

Eles aceitaram o desafio e por um momento Jean Louise achou que Jem ia sufocá-la, mas ele acabou soltando-a, pois Atticus estava lá.

— Instalaram uma serraria no riacho. Não podemos mais nadar lá — contou Henry.

Ele parou o carro em frente à lanchonete E-Lite e buzinou.

— Dois copos com gelo, por favor, Bill — ele pediu ao rapaz que foi atendê-los.

Em Maycomb, ou a pessoa bebia ou não bebia. Quem bebia, ia para trás da garagem com um caneco cheio e entornava; quem não bebia, pedia um copo com gelo na lanchonete E-Lite, protegido pela escuridão: nunca se ouviu falar de um homem tomando um drinque antes ou depois do jantar em casa ou com um vizinho. Isso era beber socialmente. Quem bebia socialmente não era considerado refinado, e como em Maycomb todos se consideravam refinados, ninguém bebia socialmente.

— Quero um drinque bem leve, querido. Só água colorida — ela pediu.

— Você ainda não aprendeu a beber? — perguntou Henry.

Ele pegou sob o assento do carro uma garrafa marrom de Seagram's Seven.

— Bebida forte, não — ela respondeu.

Henry coloriu a água no copo de papel dela. Serviu uma dose de homem para si mesmo, mexeu o líquido com o dedo, colocou a garrafa no meio das pernas e a tampou. Guardou a garrafa embaixo do assento e ligou o carro.

— Lá vamos nós — anunciou.

Os pneus do carro zunindo sobre o asfalto a deixaram sonolenta. O que mais gostava em Henry Clinton era o fato de ele deixá-la quieta quando ela não queria falar. Não precisava entretê-lo.

Quando Jean Louise ficava assim, Henry nunca a incomodava. Era um liberal e sabia que Jean Louise apreciava sua paciência. Ela não sabia que essa era uma virtude que ele estava aprendendo com o pai dela.

— Calma, rapaz — Atticus tinha dito em um de seus raros comentários sobre a filha. — Não a pressione. Respeite o tempo dela. Se a colocar contra a parede, vai ser mais fácil lidar com qualquer mula do condado.

A turma de Henry Clinton na Faculdade de Direito era composta de jovens veteranos inteligentes, mas sem nenhum senso de humor. A competição era ferrenha, mas Henry estava acostumado a trabalhar duro. Embora conseguisse acompanhar o ritmo e tivesse se saído muito bem, não aprendeu muita coisa prática. Atticus Finch tinha razão quando dizia que a única vantagem que a universidade deu a Henry foi o convívio com futuros políticos, demagogos e estadistas do Alabama. Só se começava a ter uma ideia do que era de verdade o Direito quando chegava o momento de exercê-lo. O Código de Justiça e o sistema de jurisprudência do Alabama, por exemplo, eram de uma natureza tão etérea que Henry só conseguiu ser aprovado nos exames decorando-os. O sujeitinho amargo que lecionava a matéria era o único professor da universidade com paciência de ensinar o tema; mesmo assim, evidenciava a rigidez própria de quem não entende completamente um assunto. Quando Henry ousou questionar uma avaliação particularmente ambígua, a resposta foi:

— Sr. Clinton, por mim, o senhor pode escrever até o dia do Juízo Final, mas, se suas respostas não coincidirem com as minhas, estarão erradas. Erradas.

Não é de admirar que, quando começaram a trabalhar juntos, Henry tivesse ficado confuso com as coisas que Atticus dizia:

— Fazer uma petição consiste em pouco mais do que colocar no papel o que você quer.

Com paciência e discrição, Atticus havia lhe ensinado tudo o que sabia do ofício, mas Henry às vezes se perguntava se teria a idade dele quando conseguisse dominar a prática do Direito. *Tom, Tom, o filho do limpador de chaminés.* Seria esse o antigo caso do depósito de bens? Não, era o primeiro caso da descoberta acidental de um tesouro: o direito de posse de quem o achou prevalece diante de qualquer pessoa que surja posteriormente, exceto o verdadeiro dono. O rapaz que encontrou um broche... Olhou para Jean Louise. Ela estava cochilando.

Ele era o verdadeiro dono de Jean Louise, disso tinha certeza. Desde o tempo em que atirava pedras nele; desde quando quase explodiu a própria cabeça brincando com pólvora; quando pulava nas costas dele, dava uma gravata e o obrigava a pedir penico; desde o verão em que adoeceu e ficou delirando, chamando por ele, Jem e Dill... Henry se perguntou por onde andaria Dill. Jean Louise decerto sabia, eles mantinham contato.

— Querida, onde está o Dill?

Jean Louise abriu os olhos.

— Da última vez que tive notícias dele, estava na Itália.

Ela se endireitou no banco. Charles Baker Harris. Dill, o amigo do peito. Ela bocejou e ficou olhando o carro engolindo a linha branca da estrada.

— Onde estamos?

— Ainda faltam uns dezesseis quilômetros — ele respondeu.

Ela observou:

— Já posso sentir o rio.

— Você deve ser metade jacaré. Eu não sinto nada — disse Henry.

— Tom Dois Dedos ainda anda por aqui?

Tom Dois Dedos morava onde quer que houvesse um rio. Ele era um gênio: cavava túneis por baixo de Maycomb para entrar nos quintais e comer as galinhas à noite; uma vez, foi perseguido de Demópolis a Tensas. Tinha a mesma idade do condado Maycomb.

— Talvez o vejamos esta noite.

— Por que se lembrou de Dill? — ela perguntou.

— Não sei. Só pensei nele.

— Você nunca gostou dele, não é?

Henry sorriu.

— Eu tinha ciúmes dele. Ele passava o verão inteiro com você e com Jem, enquanto eu tinha de ir para casa assim que terminavam as aulas. E lá não tinha ninguém para brincar.

Ela ficou em silêncio. O tempo se deteve, mudou de marcha e lentamente retrocedeu. De alguma forma, naquele tempo, era sempre verão. Hank estava em casa com a mãe, inacessível, e Jem tinha de se contentar com a companhia da irmã mais nova. Os dias eram longos, Jem tinha onze anos e o costume estava estabelecido.

Estavam na varanda de dormir, a parte mais fresca da casa; dormiam lá todas as noites, do começo de maio ao final de setembro. Jem, que estava deitado em sua cama de campanha, lendo desde o raiar do dia, colocou uma revista de esportes diante do rosto da irmã, apontou para uma foto e perguntou:

— Quem é este, Scout?

— É Johnny Mack Brown. Vamos inventar uma história?

Jem sacudiu a revista diante dela e perguntou de novo:

— E quem é este?

— Você — ela respondeu.

— Muito bem. Chame o Dill.

Não foi preciso. Os repolhos da horta da srta. Rachel se agitaram, a cerca de arame dos fundos rangeu e Dill apareceu. Dill era curioso, pois tinha nascido em Meridian, no Mississippi, e sabia das coisas do mundo. Passava todos os verões em Maycomb com a tia-avó, que era vizinha dos Finch. Era um garoto baixinho, atarracado, de cabelos claros, rosto de anjo e astúcia de raposa. Era um ano mais velho que Scout, embora fosse um palmo mais baixo que ela.

— Oi — disse ele. — Vamos brincar de Tarzan hoje. Eu vou ser o Tarzan.

— Você não pode ser o Tarzan — disse Jem.

— Eu sou a Jane — ela disse.

— Bom, não vou ser a macaca de novo — reclamou Dill. — Eu sempre tenho que ser a macaca.

— Quer ser a Jane então? — perguntou Jem. Ele se espreguiçou, vestiu as calças e disse: — Vamos brincar de Tom Swift. Eu vou ser o Tom.

— Eu sou o Ned — Dill e Scout disseram ao mesmo tempo.

— Não é não — disse Scout para Dill.

O rosto de Dill ficou vermelho.

— Scout, você é sempre o segundo melhor personagem da história. Eu nunca sou o segundo melhor.

— E o que você vai fazer a respeito? — ela perguntou, educadamente, de punhos cerrados.

— Você pode ser o sr. Damon, Dill — sugeriu Jem. — Ele é engraçado e no fim salva todo mundo. Você sabe, ele está sempre dando graças por tudo.

— "Bendita seja minha apólice de seguro!" — disse Dill, segurando com os polegares suspensórios invisíveis. — Ah, está bem.

— Do que vamos brincar? Aeroporto no Oceano ou Máquina Voadora?

— Estou cansada dessas — disse ela. — Invente alguma coisa para nós.

— Está bem. Scout, você é Ned Newton. Dill, você é o sr. Damon. Bem, um belo dia, Tom está em seu laboratório inventando uma máquina que consegue ver através de uma parede de tijolos, quando chega um homem e pergunta: "Sr. Swift?" Eu sou Tom, então digo: "Pois não, senhor."

— Nada consegue ver através de uma parede de tijolos — considerou Dill.

— Essa máquina conseguia. De todo jeito, o homem chega e pergunta: "Sr. Swift?"

— Jem, se vai ter um homem na história, precisamos de mais uma pessoa. Quer que eu vá chamar o Bennett?

— Não, o homem não dura muito, só vou contar essa parte. A história tem que ter um começo, Scout...

O papel do homem era informar ao jovem inventor que um professor importante estava perdido no Congo Belga havia trinta anos e já era hora de alguém tentar salvá-lo. Claro que ele então foi procurar a ajuda de Tom Swift e seus amigos, e Tom ficou animado com a perspectiva de uma nova aventura.

Os três subiram na sua Máquina Voadora, que consistia em tábuas largas que, tempos atrás, eles tinham pregado nos galhos mais grossos do cinamomo.

— Está quente à beça aqui em cima — reclamou Dill. — Ui-ui-ui.

— O que você disse? — perguntou Jem.

— Eu disse que está quente à beça aqui em cima, tão perto do sol. Benditas sejam as minhas cuecas compridas.

— Não pode dizer isso, Dill. Quanto mais alto se sobe, mais frio fica.

— Pois acho que fica mais quente.

— Não fica. Quanto mais alto, mais frio fica, porque o ar fica mais rarefeito. Scout, agora você pergunta: "Para onde vamos, Tom?"

— Pensei que fôssemos para a Bélgica — disse Dill.

— Vocês têm que me perguntar para onde vamos porque o homem me disse, mas eu ainda não disse a vocês, entenderam?

Entenderam.

Quando Jem explicou qual era a missão deles, Dill disse:

— Se está perdido há tanto tempo, como sabem que ele está vivo?

Jem explicou:

— O tal homem disse que receberam uma mensagem da Costa do Ouro, que o professor Wiggins estava...

— Se tiveram notícias dele, então como pode estar perdido? — questionou ela.

— ... estava em uma tribo perdida de caçadores de cabeças — Jem continuou, ignorando-a. — Ned, você está com o rifle com visão de raios X? Você então responde que sim.

— Sim, Tom — disse ela.

— Sr. Damon, colocou provisões suficientes na Máquina Voadora? *Sr. Damon!*

Dill voltou a si.

— Bendito seja o meu rolo de macarrão, Tom. Sim, senhor. *Uh-uh-uh!*

Fizeram uma aterrissagem perfeita nos arredores da Cidade do Cabo, e Scout reclamou que já fazia dez minutos que Jem não dava nada para ela dizer e, se continuasse assim, ela não brincava mais.

— Está bem, Scout, você diz: "Tom, não temos tempo a perder. Vamos para a selva."

Ela disse.

Os três deram uma volta pelo quintal, abrindo caminho entre as plantas, parando de vez em quando para matar um elefante que se perdeu da manada ou enfrentar uma tribo de canibais. Jem ia à frente. De vez em quando, gritava "Para trás!" e eles se jogavam de barriga para baixo na areia quente. Certa vez resgatou o sr. Damon das Cataratas Vitória, enquanto Scout ficou por perto, de mau humor, porque só o que precisou fazer foi segurar a corda na qual Jem estava amarrado.

Jem então gritou:

— Estamos quase chegando, vamos!

Eles correram para a garagem, uma aldeia de caçadores de cabeça. Jem se ajoelhou e começou a imitar os gestos de um curandeiro.

— O que você está fazendo? — ela perguntou.

— Psssiu! Estou fazendo um sacrifício.

— Você parece aflito. O que é um sacrifício? — perguntou Dill.

— É para afastar os caçadores de cabeça. Olhe, lá estão eles! — Jem murmurou alguma coisa, disse algo parecido com *buja-buja--buja*, e a garagem ficou cheia de selvagens.

Dill revirou os olhos nas órbitas de um jeito nojento, ficou com o corpo rígido e caiu no chão.

— Pegaram o sr. Damon! — gritou Jem.

Carregaram Dill, duro feito um poste, para o sol. Pegaram folhas de figueira e as colocaram em uma fileira em cima de Dill, da cabeça aos pés.

— Acha que vai funcionar, Tom? — ela perguntou.

— Talvez, ainda não sei. Sr. Damon? Acorde!

Jem bateu na cabeça dele.

Dill se levantou do chão, espalhando as folhas de figueira.

— Pare com isso, Jem Finch — disse Dill, e voltou à posição de antes, de braços e pernas abertos. — Não vou ficar muito tempo aqui. Está esquentando.

Jem fez misteriosos gestos sacerdotais sobre a cabeça de Dill e disse:

— Olha, Ned. Ele está voltando a si.

As pálpebras de Dill se moveram e ele abriu os olhos. Ele se levantou e cambaleou pelo quintal, murmurando:

— Onde estou?

— Bem aqui, Dill — ela respondeu, meio assustada.

Jem fez uma cara feia.

— Está errado. Você tem de dizer: "Sr. Damon, o senhor está perdido no Congo Belga, onde foi enfeitiçado. Eu sou Ned e esse é o Tom."

— Nós também estamos perdidos? — perguntou Dill.

— Estávamos enquanto você estava enfeitiçado, mas agora não estamos mais — explicou Jem. — O professor Wiggins está aprisionado numa cabana distante e temos de resgatá-lo...

Até onde ela sabia, o professor Wiggins continuava aprisionado. Calpúrnia acabou com a fantasia de todos eles quando abriu a porta dos fundos e berrou:

— Quem quer limonada? São dez e meia. Melhor irem entrando ou vão *fritá* nesse sol!

Ela havia deixado três copos e um grande jarro de limonada na varanda dos fundos, o que garantia que eles ficariam à sombra por pelo menos cinco minutos. No verão, tomavam limonada no meio da manhã todos os dias. Beberam três copos cada um e se deram conta de que ainda tinham o resto da manhã pela frente.

— Querem ir até o campo Dobbs? — perguntou Dill.

Não.

— Que tal fazermos uma pipa? Podemos pedir um pouco de farinha a Calpúrnia... — sugeriu Scout.

— Não dá para soltar pipa no verão, não tem nem um sopro de vento — considerou Jem.

O termômetro na varanda dos fundos marcava trinta e três graus, a garagem parecia bruxulear ligeiramente ao longe e os dois enormes cinamomos estavam imóveis.

— Já *sei*: vamos fazer um retiro espiritual.

Os três se entreolharam. A proposta tinha mérito.

Em Maycomb, nos dias mais quentes do verão, havia pelo menos um retiro espiritual, e um estava sendo realizado naquela semana. Os fiéis das três igrejas da cidade — metodista, batista e presbiteriana — costumavam se reunir para ouvir a pregação de um pastor visitante, mas, algumas vezes, quando as igrejas não conseguiam entrar em acordo sobre o pastor e a remuneração dele, cada congregação fazia seu próprio retiro, aberto a todos. Assim, os fiéis às vezes dispunham de três semanas de retiro espiritual. Era um período de guerra: contra o pecado, contra a Coca-Cola, contra o cinema, contra a caça aos domingos; guerra contra a tendência cada vez maior das moças de pintar o rosto e fumar em público; guerra ao uísque. Por isso, a cada verão, pelo menos cinquenta crianças subiam ao altar da igreja e juravam que não iam beber, fumar ou falar palavrão até fazerem vinte e um anos. Também era travada uma guerra contra algo tão nebuloso que Jean Louise nunca soube o que era exatamente, embora tivesse certeza de que não envolvia nenhum juramento. E uma guerra entre as senhoras do condado para saber qual delas oferecia as melhores refeições para o pregador. Os pastores de Maycomb também tinham o direito de comer de graça por uma semana, e nos meios mais desrespeitosos circulava o boato de que os pastores levavam deliberadamente suas congregações a celebrar serviços separados pois assim tinham mais duas semanas de vantagem. Isso, porém, era mentira.

Naquela semana, durante três noites, Jem, Dill e Scout sentaram-se nos bancos reservados para as crianças na igreja batista (eram os batistas que estavam recebendo os fiéis naquela ocasião), ouvindo os sermões do reverendo James Edward Moorehead, famoso orador do norte da Geórgia. Pelo menos, foi o que lhes disseram, pois entenderam pouco do que ele disse, a não ser os comentários sobre o inferno. O inferno era e sempre seria, até onde ela sabia, um lago de fogo exatamente do tamanho de Maycomb, Alabama, cercado por um muro de tijolos de sessenta metros de altura. Satanás usava um tridente para lançar por cima desse muro os pecadores, que cozinhavam por toda a eternidade em uma espécie de sopa de enxofre.

O reverendo Moorehead era uma figura alta e triste, andava curvado e costumava dar títulos surpreendentes aos seus sermões. (*Você falaria com Jesus se O encontrasse na rua?* O reverendo Moorehead duvidava que qualquer um conseguisse, mesmo que quisesse, pois Jesus provavelmente falaria em aramaico.) Na segunda noite de sermão, o tema foi *O preço do pecado*. Naquela época, o cinema local exibia um filme com o mesmo título, proibido para menores de dezesseis anos, então todos pensaram que o pastor ia falar sobre o filme e a cidade inteira foi ouvir. Mas ele não fez nada disso. Passou quase uma hora discorrendo sobre a sutileza gramatical do seu texto. Qual era o mais correto: o preço do pecado é a morte ou o pecado se paga com a morte? Fazia diferença, e o reverendo enveredou por distinções tão complexas que nem Atticus Finch seria capaz de dizer onde aquilo ia parar.

Jem, Dill e Scout teriam morrido de tédio se o reverendo Moorehead não tivesse um talento especial para fascinar as crianças. Ele falava sibilando. Tinha uma falha entre os dois dentes da frente (Dill jurava que eram postiços e que a falha era para os dentes parecerem naturais) que emitia um som desastrosamente agradável quando pronunciava uma palavra com um ou mais "s". Satanás, Jesus, Cristo, tristeza, salvação, sucesso eram as palavras-chave que os três ansiavam por ouvir todas as noites, e sua atenção era duplamente recompensada: primeiro, porque naquela época nenhum pastor podia fazer um sermão sem usar todas elas, o que garantia espasmos de deleite contido no mínimo sete vezes por noite. Segundo, porque os três prestavam tanta atenção ao reverendo Moorehead que eram consideradas as crianças mais comportadas da congregação.

Na terceira noite do retiro, quando eles e outras crianças foram até o altar para aceitar Cristo como seu Salvador, os três ficaram olhando fixamente para o chão durante a cerimônia porque o reverendo Moorehead pôs as mãos sobre a cabeça deles e disse, entre outras coisas:

— Abençoado seja aquele que não se sentou no assento dos ímpios.

Dill teve um ataque de tosse e o reverendo sussurrou para Jem:

— Leve o menino para tomar ar. Ele está muito emocionado.

Jem disse a Dill:

— Já sei, vamos continuar a cerimônia no tanque de peixes do seu jardim.

Dill gostou da ideia.

— É, Jem. Podemos arrumar uns caixotes para ser o púlpito.

O quintal dos Finch era separado do da srta. Rachel por uma trilha de cascalho. O tanque de peixes ficava no jardim lateral da srta. Rachel e era rodeado de arbustos de azaleias, roseiras, camélias e gardênias. No tanque viviam, sob a sombra dos nenúfares e das heras, alguns peixes-japoneses, velhos e gordos, vários sapos e lagartos-de-água. Uma grande figueira estendia suas folhas venenosas no entorno do tanque, o que fazia daquele o lugar mais fresco da vizinhança. A srta. Rachel tinha colocado algumas cadeiras de jardim em volta do tanque e uma mesa de pés cruzados sob a figueira.

Eles acharam dois caixotes vazios no barracão de defumar carne da srta. Rachel e armaram um altar na frente do tanque. Dill postou-se atrás dele.

— Sou o reverendo Moorehead — anunciou.

— Eu sou o reverendo Moorehead, sou mais velho — anunciou Jem.

— Ah, tudo bem — disse Dill.

— Você e Scout podem ser os fiéis.

— Não vamos ter nada para fazer, e vou roncar se ficar sentada uma hora ouvindo você falar, Jem Finch.

— Você e Dill podem fazer a coleta das doações. E também podem ser o coro — sugeriu Jem.

Os fiéis pegaram duas cadeiras de jardim e se sentaram diante do altar. Jem então pediu:

— Agora, cantem todos.

Scout e Dill cantaram:

Divina graça, como é doce o som
Que salvou um miserável como eu.
Eu estava perdido, mas agora me encontrei.
Estava cego, mas agora vejo. Amém.

Jem apoiou as mãos no púlpito, inclinou-se para a frente e disse, em tom confidencial:

— Que alegria encontrá-los esta manhã. Porque é de fato uma linda manhã.

— Amém — respondeu Dill.

— Há alguém que nesta manhã gostaria de abrir seu coração e cantar? — perguntou Jem.

— Sssim, senhor — respondeu Dill.

Dill, que, por ser atarracado e baixinho, estava destinado a sempre representar o papel do personagem excêntrico, se levantou e, diante dos olhos deles, se transformou no coro de um homem só:

Quando soar a trombeta do Senhor, e o tempo não existir mais,
E a manhã surgir, eterna, clara e radiosa,
E os eleitos se reunirem na outra margem;
E a lista for chamada ao longe, lá estarei.

O pastor e os fiéis se juntaram ao coro. Enquanto cantavam, ela ouviu vagamente Calpúrnia chamando-os ao longe, mas espantou o som como quem espanta um inseto de perto da orelha.

Dill, de rosto afogueado pelo esforço, sentou-se no local que na igreja era reservado aos devotos que entoavam as respostas durante a pregação.

Jem prendeu um pince-nez invisível no nariz, pigarreou e disse:

— A leitura do dia, caros irmãos, é dos Salmos: *Celebrai com júbilo o Senhor.*

Jem tirou o pincenê, limpou-o e disse, com voz solene:

— Louvemos o Senhor.

Dill lembrou-se:

— Está na hora da coleta.

E cutucou Scout para que ela desse as duas moedas que tinha no bolso.

— Quero o dinheiro de volta no fim da cerimônia, Dill — ela avisou.

— Silêncio, está na hora do sermão — disse Jem.

Jem fez o mais longo e mais maçante sermão que Scout já tinha ouvido. Disse que o pecado era a coisa mais pecaminosa imaginável, que o pecador jamais venceria na vida e que bem-aventurados eram aqueles que se sentavam com os ímpios. Em resumo, sua versão de tudo o que tinham ouvido nas últimas três noites. Falava bem baixo e em seguida elevava a voz em um guincho, levantando as mãos, como se a terra estivesse se abrindo aos pés dele. A certa altura, perguntou:

— Onde está o demônio? — E apontou diretamente para os fiéis.

— Está bem aqui, em Maycomb, no Alabama.

Começou a falar no inferno, e Scout então pediu:

— Agora chega, Jem.

A descrição que o reverendo Moorehead tinha feito do inferno tinha sido mais do que suficiente para que Scout se lembrasse dela para o resto da vida. Jem trocou de área e começou a discorrer sobre o céu, onde havia muita banana (que Dill adorava) e batatas gratinadas (as favoritas de Scout) e, quando eles morressem, iam todos para lá, comer coisas deliciosas até o dia do Juízo Final, quando Deus, tendo anotado em um livro tudo o que eles tinham feito desde o nascimento, ia mandá-los para o inferno.

Jem terminou a pregação pedindo que todos os que quisessem se unir ao Cristo dessem um passo à frente. Scout obedeceu.

Jem colocou a mão na cabeça dela e perguntou:

— Minha jovem, está arrependida dos seus pecados?

— Sim, senhor — ela respondeu.

— É batizada?

— Não, senhor.

— Bem... — Jem enfiou a mão na água escura do tanque e a colocou sobre a cabeça dela: — Eu te batizo...

— Ei, espera um minuto, não é assim! — berrou Dill.

— Pois eu acho que é. Scout e eu somos metodistas — disse Jem.

— Sim, mas estamos em um retiro batista. Você tem que mergulhar a cabeça dela na água. Acho que também quero ser batizado.

— Dill, que estava começando a se dar conta dos desdobramentos da cerimônia, lutou para conseguir o papel. — Sou eu — insistiu ele.

— Eu sou batista, então eu é que devo ser batizado.

— Escuta aqui, Dill Picles Harris — disse Scout, ameaçadora. — Eu não fiz nada durante toda esta bendita manhã: você ficou no lugar dos carolas, cantou, fez a coleta. Agora é a minha vez.

Ela fechou os punhos, dobrou o braço esquerdo e firmou os pés no chão.

Dill recuou.

— Para com isso, Scout.

— Ela tem razão, Dill — disse Jem. — Você pode ser meu ajudante. Olhou para ela. — Scout, é melhor você tirar a roupa para não se molhar.

Ela tirou o macacão, que era a única coisa que estava vestindo.

— Não me deixe muito tempo embaixo d'água e não se esqueça de tapar o meu nariz — recomendou.

Ela subiu na borda cimentada do tanque; um velho peixe-dourado veio à tona, olhou-a de cara feia e sumiu na água escura.

— É muito fundo? — ela perguntou.

— Meio metro, mais ou menos — respondeu Jem, e olhou para Dill para confirmar. Mas Dill tinha sumido. Eles o viram correndo em disparada em direção à casa da srta. Rachel.

— Acha que ele ficou chateado? — perguntou ela.

— Não sei. Vamos esperar e ver se volta.

Jem disse que era melhor espantarem os peixes para um lado do tanque para não os machucar e estavam debruçados sobre o tanque batendo na água quando ouviram uma voz ameaçadora atrás deles:

— Uuuuuuu...

— Uuuuuuu — repetiu Dill, escondido embaixo de um lençol de casal no qual tinha feito buracos para os olhos. Levantou os braços e inclinou-se sobre Scout. — Está pronta? Anda, Jem, estou ficando com calor — reclamou ele.

— Pelo amor de Deus! O que você está fazendo?

— Sou o Espírito Santo — respondeu Dill, modestamente.

Jem tomou a mão de Scout e a ajudou a entrar no tanque. A água estava morna e lodosa e o fundo do tanque estava escorregadio.

— Só mergulhe minha cabeça uma vez — ela recomendou.

Jem ficou na beira do tanque. O vulto de lençol se aproximou e começou a bater os braços com força. Jem inclinou Scout para trás e a mergulhou na água. Enquanto estava com a cabeça debaixo d'água, ouviu-o dizer:

— Jean Louise Finch, eu te batizo em nome do...

Uáp!

A varinha da srta. Rachel atingiu em cheio o traseiro do santo espírito. Como não queria retroceder e ir de encontro à saraivada de golpes, Dill avançou com passo enérgico e se juntou a Scout no tanque. A srta. Rachel açoitava sem parar uma confusão de nenúfares, lençol, pernas, braços e hera emaranhada.

— Saia daí! — berrou a srta. Rachel. — Vou pegar você, Charles Baker Harris! Pegou o meu melhor lençol, não foi? Fez buracos nele, não foi? Falou o Santo Nome em vão, não foi? Ande, saia já daí!

— Pare, tia Rachel! — balbuciou Dill, com metade da cabeça dentro d'água. — Me deixa explicar!

Os esforços de Dill para se desvencilhar com dignidade tiveram apenas êxito moderado: ele emergiu do tanque como um pequeno e fantástico monstro aquático coberto de limo, o lençol pingando. Um ramo de hera estava enroscado em torno da cabeça e do pescoço. Ele sacudiu a cabeça com força para se livrar dele e a srta. Rachel recuou para não se molhar.

Jean Louise saiu da água atrás dele. O nariz latejava por causa da água que tinha entrado nele e doía quando ela fungava.

A srta. Rachel não quis tocar em Dill, mas fez sinal para ele com a vara, dizendo:

— Ande!

Scout e Jem observaram os dois até que eles entraram na casa da srta. Rachel. Scout não pôde evitar sentir pena de Dill.

— Vamos para casa — sugeriu Jem —, deve estar na hora do jantar.

Quando se viraram na direção de casa, deram de cara com o pai, parado na entrada da garagem.

Ao lado dele, havia uma senhora que eles não conheciam e o reverendo James Edward Moorehead. Parecia que estavam ali havia um bom tempo.

Atticus aproximou-se deles, tirando o paletó. Scout sentiu um aperto na garganta e seus joelhos tremeram. Quando Atticus colocou o paletó sobre seus ombros, percebeu que estava praticamente nua na frente de um pastor. Tentou correr, mas Atticus segurou-a pela gola do paletó e disse:

— Vá falar com Calpúrnia. Entre pela porta dos fundos.

Calpúrnia esfregou-a vigorosamente na banheira, resmungando:

— O sr. Finch ligou de manhã e avisou que ia trazer o pastor e a mulher dele para almoçar. Chamei vocês até ficar sem fôlego. Por que não responderam?

— Não ouvimos — ela mentiu.

— Bom, ou eu colocava o bolo no forno ou procurava vocês, não podia fazer as duas coisas ao mesmo tempo. Deviam se envergonhar por fazer o pai de vocês passar esse vexame!

Teve a impressão de que o dedo ossudo de Calpúrnia ia furar o ouvido dela e pediu:

— Pare, Cal.

— Se ele não deu um corretivo em vocês, eu dou — prometeu Calpúrnia. — Agora sai da banheira.

Calpúrnia quase arrancou a pele de Scout com a toalha áspera; depois mandou que levantasse os braços acima da cabeça e pôs nela um vestido rosa bem engomado, segurou firme seu queixo entre o polegar e o indicador e ajeitou o cabelo dela com um pente de dentes afiados. Em seguida, colocou na frente dela os sapatos de couro.

— Pode calçar.

— Não sei abotoar — disse ela. Calpúrnia abaixou a tampa da privada e se sentou. Scout observou enquanto seus dedos compridos e desajeitados realizavam a complexa tarefa de enfiar botões de madrepérola em buracos pequenos demais e ficou impressionada com a força das mãos de Calpúrnia.

— Agora vai falar com seu pai.

— Cadê o Jem? — perguntou Scout.

— Está tomando banho no banheiro do sr. Finch. Nele eu posso confiar.

Na sala, Scout e Jem sentaram-se quietos no sofá. Atticus e o reverendo Moorehead conversavam sobre temas pouco interessantes e a mulher do reverendo olhava fixamente para as crianças. Jem olhou para a sra. Moorehead e sorriu. O sorriso não foi retribuído, então ele desistiu.

Para alívio de todos, Calpúrnia tocou o sino anunciando que o jantar estava servido. Quando se sentaram à mesa, houve um momento de silêncio incômodo e então Atticus pediu que o reverendo fizesse a oração de graças pela refeição. Em vez de fazer uma benção impessoal, o reverendo Moorehead aproveitou a oportunidade para alertar o Senhor sobre as travessuras de Jem e Scout. Quando finalmente explicou que eram órfãos de mãe, Scout estava se sentindo do tamanho de uma ervilha. Olhou para Jem: ele estava com o nariz quase enfiado no prato e suas orelhas estavam vermelhas. Ela achou que Atticus nunca mais conseguiria erguer a cabeça outra vez, e sua suspeita se confirmou quando o reverendo finalmente disse "amém" e Atticus levantou o olhar. Duas grossas lágrimas tinham escorrido sob as lentes dos óculos dele. Dessa vez, tinham magoado o pai de verdade. De repente, ele pediu licença, levantou-se bruscamente e desapareceu na cozinha.

Calpúrnia entrou na sala com cautela, levando uma bandeja carregada. Quando havia convidados, adotava uma atitude empertigada e circunspecta: sabia falar perfeitamente, mas, na presença de visitas, se embaralhava com a pronúncia; servia, altiva, os pratos de legumes e parecia respirar com parcimônia. Quando chegou perto dela, Jean Louise disse:

— Com licença, por favor. — Puxou a cabeça de Calpúrnia para perto da dela e perguntou: — Cal, Atticus ficou muito chateado?

Calpúrnia empertigou-se, olhou para Jean Louise e disse para todos à mesa:

— O Sr. Finch? Que nada, srta. Scout. Tá lá na varanda dos fundos se acabando de rir!

O Sr. Finch? Tá se acabando de rir. Scout despertou com o barulho do carro saindo do asfalto para a estrada de terra. Passou as mãos pelos cabelos, pegou um cigarro no porta-luvas e acendeu-o.

— Estamos quase chegando. Onde você estava? Em Nova York com o seu namorado? — perguntou Henry.

— Só estava distraída. Estava pensando em quando fizemos um retiro espiritual. Você perdeu.

— Ainda bem. É uma das histórias preferidas do dr. Finch.

Jean Louise riu.

— Tio Jack conta essa história há quase vinte anos e até hoje fico com vergonha. Sabe, o Dill foi a única pessoa que esquecemos de avisar quando Jem morreu. Ele soube porque alguém mandou um recorte de jornal com a notícia.

— É sempre assim— disse Henry.— Esquecemos os amigos mais antigos. Você acha que um dia ele volta?

Jean Louise negou com a cabeça. Quando o Exército mandou Dill para a Europa, ele ficou por lá. Era um viajante nato. Quando passava muito tempo com as mesmas pessoas no mesmo lugar, virava uma pequena pantera. Ela se perguntava onde ele terminaria seus dias. Não em uma calçada de Maycomb, isso era certo.

O ar fresco do rio cortou a noite cálida.

— Finch's Landing, senhorita — anunciou Henry.

Finch's Landing consistia em trezentos e sessenta e seis degraus em um costão íngreme que terminava em um amplo píer debruçado sobre o rio. Chegava-se lá atravessando uma grande clareira de cerca de trezentos metros de largura que se estendia do costão até a floresta. Uma estrada de dois sulcos começava na clareira e desaparecia em meio às árvores escuras. No fim dela havia uma casa branca de dois andares com varandas em toda a volta no térreo e no andar de cima.

Longe de estar em avançado estado de deterioração, a antiga residência dos Finch estava em ótima situação: tinha sido transformada em um clube de caça. Vários homens de negócios de Mobile tinham arrendado o terreno, comprado a casa e instalado lá o que os habitantes de Maycomb consideravam um antro de jogatina. Não era: nas noites de inverno, os cômodos da antiga moradia se enchiam de vozes masculinas falando alto e se, de vez em quando, se ouvia um tiro, não era por ira, mas por excesso de álcool. Podiam jogar pôquer e beber à vontade; a única coisa que importava a Jean Louise era que a velha casa fosse bem cuidada.

A casa tinha uma história muito comum no Sul: o avô de Atticus Finch comprou-a do tio de um Don Juan que operava em ambos os lados do Atlântico, apesar de pertencer a uma antiga e refinada família do Alabama. O pai de Atticus nasceu naquela casa, assim como o próprio Atticus, Alexandra, Caroline (que se casou com um rapaz de Mobile) e John Hale Finch. A clareira era usada para reuniões da família, até que essas reuniões saíram de moda, do que Jean Louise se lembrava bem.

O trisavô de Atticus, um metodista inglês, se instalou à margem do rio, perto de Claiborne, e teve sete filhas e um filho. As moças se casaram com os filhos dos soldados do coronel Maycomb, tiveram uma prole numerosa e deram origem ao que no condado se chamava de as Oito Famílias. Durante muito tempo, a cada vez que as famílias faziam sua reunião anual, o Finch que estivesse morando na casa era obrigado a derrubar mais árvores para abrir espaço para os piqueniques, o que explicava o tamanho da clareira. Mas ela era usada para outros fins além das reuniões familiares: os negros jogavam basquete lá; a Ku Klux Klan se reunia lá nos seus tempos de tranquilidade; e, quando Atticus era jovem, era celebrado um grande torneio no qual os cavalheiros do condado disputavam a honra de levar suas esposas para um prestigioso banquete em Maycomb. (Alexandra contava que tinha decidido se casar com tio Jimmy depois de vê-lo enfiar uma estaca em um anel em pleno galope em uma dessas competições.)

Foi também no tempo de Atticus que os Finch se mudaram para a cidade: Atticus foi estudar Direito em Montgomery e, depois de se formar, voltou para trabalhar em Maycomb; Alexandra, impressionada com a destreza de tio Jimmy, foi com ele para Maycomb; John Hale Finch foi estudar Medicina em Mobile; e Caroline fugiu de casa com o namorado aos dezessete anos. Depois que o pai deles morreu, arrendaram a terra, mas a mãe não quis sair da velha casa. Ficou lá e viu a terra à sua volta ser aos poucos arrendada e vendida. Quando ela morreu, só restavam a casa, a clareira e o cais. A casa ficou vazia até ser comprada pelos cavalheiros de Mobile.

Jean Louise achava que se lembrava da avó, mas não tinha certeza. Quando viu pela primeira vez um quadro de Rembrandt, uma mulher de touca e blusa de gola frisada, disse: "É a vovó." Atticus disse que não, que nem se parecia com ela. Mas Jean Louise tinha a impressão de que um dia tinha sido levada a um quarto um pouco escuro da antiga casa no meio do qual estava sentada uma senhora muito idosa, de vestido preto com gola de renda branca.

A escada para o cais era chamada, é claro, de Escada Bissexta, e, quando Jean Louise era criança e frequentava as reuniões anuais junto com um sem-fim de primos, os pais se aproximavam da beira do costão, preocupados com as crianças brincando na escada, até que elas eram separadas em dois grupos: as que sabiam nadar e as que não sabiam. Os que não sabiam nadar ficavam confinados à parte da clareira junto à floresta, onde tinham de brincar de coisas inofensivas; os que sabiam nadar podiam brincar à vontade na escada, supervisionados por dois rapazes negros.

O clube de caça mantinha a escada em bom estado e usava o píer para ancorar seus barcos. Os membros do clube eram preguiçosos, achavam mais fácil se deixar levar rio abaixo e remar até o pântano Winston do que andar por caminhos abertos em meio a moitas e galhos de pinheiros. Mais abaixo, depois do costão, ficavam os restos do velho cais onde os negros que trabalhavam para os Finch carregavam fardos de algodão e produtos do campo e descarregavam blocos de gelo, sacos de farinha e açúcar, ferramentas para a fazenda e roupas femininas. O cais da família Finch era usado apenas por viajantes: a escada era uma boa desculpa para as senhoras desmaiarem e as bagagens ficavam no cais do algodão: desembarcar ali, na frente dos negros, era impensável.

— Acha que a escada é segura?

— Claro — respondeu Henry. O clube faz a manutenção. Estamos invadindo propriedade privada, sabia?

— Invadindo uma ova. Está para nascer o dia em que um Finch será proibido de andar em suas próprias terras. — Ela fez uma pausa. — O que quis dizer com invadir?

— A última parte do terreno foi vendida há cinco meses.

— Não me disseram nada — Jean Louise protestou.

O tom da voz dela fez Henry se deter.

— Você não liga para isso, não é?

— Não, na verdade, não. Só queria que tivessem me avisado.

A resposta não convenceu Henry.

— Pelo amor de Deus, Jean Louise, que utilidade isso tinha para o sr. Finch e para os outros?

— Nenhuma, com os impostos e tudo o mais. Mas eu queria que tivessem me avisado. Não gosto de surpresas.

Henry riu. Agachou-se e pegou um punhado de areia cinza.

— Teve um ataque de sentimentalismo sulista? Quer que eu dê uma de Gerald O'Hara?

— Para com isso, Hank — pediu, amável.

— Acho que você é a pior de todos — observou ele. — O sr. Finch é um jovem de setenta e dois anos quando se trata desse assunto; já você é uma centenária.

— Só não gosto que façam mudanças no meu mundo sem avisar. Vamos até o cais.

— Quer apostar uma corrida?

— Ganho de você quando quiser.

Correram até a escada. Quando começou a descer, Jean Louise notou que seus dedos roçaram um metal frio. Ela parou. Tinham colocado uma grade de ferro na escada desde que tinha estado lá pela última vez, um ano antes. Hank já estava bem à frente dela para que pudesse alcançá-lo, mas tentou mesmo assim.

Quando chegou ao cais, ofegante, Henry já estava estirado nas tábuas.

— Cuidado com o breu, amor — ele avisou.

— Estou ficando velha — ela confessou.

Fumaram em silêncio. Henry colocou o braço embaixo da cabeça dela e ocasionalmente virava e a beijava. Ela olhava para o céu.

— Parece tão baixo que quase dá para estender o braço e tocá-lo.

—Falou sério um minuto atrás quando disse que não gosta que perturbem o seu mundo? — perguntou Henry.

—Hein? — Ela não tinha certeza. Achava que sim. Tentou explicar: — É que toda vez que volto para casa nos últimos cinco anos, antes disso até... Desde a faculdade. Sempre tem alguma coisa que mudou um pouco...

—E você não tem certeza se gosta, não é?

Ela podia ver que Henry estava sorrindo à luz da lua.

Sentou-se.

—Não sei se consigo explicar, querido. Quando você mora em Nova York, muitas vezes tem a sensação de que Nova York não é o mundo. O que quero dizer é que toda vez que venho para casa parece que volto para o mundo, e, quando vou embora de Maycomb, é como se saísse do mundo. É uma bobagem. Não sei explicar, e o pior de tudo é que ficaria completamente maluca se morasse em Maycomb.

—Isso não ia acontecer, você sabe. Não quero pressioná-la para que me dê uma resposta... Não se mexa... Mas você precisa se decidir, Jean Louise. Vai ver mudanças, vai ver Maycomb mudar completamente durante a nossa vida. O problema é que você quer ficar com o melhor dos dois mundos: quer parar o relógio, mas não pode. Mais cedo ou mais tarde vai ter de decidir se prefere Maycomb ou Nova York.

Ele quase entendeu. "Eu me caso com você, Hank, se viermos morar aqui em Finch's Landing. Troco Nova York por este lugar, mas não por Maycomb."

Ela olhou para o rio. As margens do condado Maycomb eram íngremes, as do condado Abbot, planas. Quando chovia, o rio transbordava e dava para ir remando até os algodoais. Ela olhou corrente acima. "A Batalha das Canoas foi bem ali", pensou. "Sam Dale atacou os índios e o líder deles, Águia Vermelha, pulou do despenhadeiro."

E assim ele acha que conhece
As colinas onde nasceu
*E o mar para onde se encaminha.**

— Você disse alguma coisa? — perguntou Henry.

— Não. Só estava sendo romântica — respondeu ela. — Por falar nisso, minha tia não aprova você.

— Sempre soube disso. Você aprova?

— Sim.

— Então, case comigo.

— Faça o pedido.

Henry se levantou e se sentou ao lado dela. Deixaram as pernas penderem na beira do cais.

— Cadê meus sapatos? — ela perguntou de repente.

— Estão perto do carro, onde você os tirou. Jean Louise, eu já ganho o suficiente para sustentar nós dois. E daqui a alguns anos, se as coisas continuarem melhorando, estaremos bem de vida. O Sul é a terra das oportunidades agora, e no condado Maycomb há dinheiro suficiente para... O que você acharia de ter um marido no parlamento?

Jean Louise ficou surpresa.

— Vai se candidatar?

— Estou pensando.

— Pela oposição?

— É. O aparato político está prestes a cair com o próprio peso e, se eu começar de baixo...

— Um governo decente no condado Maycomb seria um choque tão grande que acho que os habitantes não iam aguentar. O que Atticus acha? — perguntou ela.

— Que é um bom momento.

— Não vai ser tão fácil quanto foi para ele.

O pai dela, depois da primeira campanha, fez parte da Assembleia estadual por tanto tempo quanto desejou, sem enfrentar opo-

---

* Trecho da poesia The buried life, de Matthew Arnold (1822-1888). (N. da T.)

sição. Foi um caso único na história do condado: nenhum aparato político fazia oposição a Atticus Finch, nenhum aparato político o havia apoiado e ninguém tinha concorrido com ele. Depois de sua aposentadoria, a máquina engoliu o único assento independente que restava.

— Tem razão, mas tenho chances. A Tropa do Tribunal está dormindo no ponto e uma campanha dura pode derrotá-los.

— Querido, você não vai ter a ajuda de uma companheira — avisou ela. — Acho a política um tédio.

— Bom, pelo menos não vai fazer campanha contra mim, o que por si só já é um alívio.

— Quer dizer que é um jovem em ascensão, hein? Por que não me disse que foi nomeado Homem do Ano?

— Fiquei com medo que risse de mim — respondeu Henry.

— Rir de você, Hank?

— É. Você parece estar sempre meio rindo de mim.

O que ela poderia dizer? Quantas vezes o tinha magoado?

— Você sabe que eu nunca fui exatamente delicada — explicou ela —, mas juro por Deus que nunca ri de você, Hank. Nunca.

Passou os braços em volta da cabeça dele. Podia sentir o cabelo cortado à escovinha sob seu o queixo, macio como veludo negro. Beijando-a, Henry a deitou no chão do cais.

Algum tempo depois, Jean Louise o deteve.

— É melhor irmos embora, Hank.

— Ainda não.

— Sim.

— O que eu mais detesto neste lugar é ter de subir de volta — disse Hank, aborrecido.

— Tenho um amigo em Nova York que sempre sobe escadas correndo. Diz que assim não fica ofegante. Por que não experimenta?

— Ele é seu namorado?

— Não seja bobo — disse ela.

— Você já disse isso hoje.

— Então vá para o inferno.

— Você também já disse isso hoje.

Jean Louise pôs as mãos na cintura.

— O que acha de nadar de roupa? Eu ainda não disse isso hoje. Neste exato momento eu poderia empurrar você no rio sem pensar duas vezes.

— Quer saber, acho que você deveria ir em frente.

— Sem pensar duas vezes — ela garantiu.

Henry agarrou-a pelo ombro.

— Se eu for, você vai junto.

— Só vou fazer uma concessão: conto até cinco para você esvaziar os bolsos — ela desafiou.

— Isso é maluquice, Jean Louise — ele protestou enquanto tirava o dinheiro do bolso, chaves, carteira, cigarros. Tirou também os sapatos.

Eles se olharam como dois galos de rinha. Henry a empurrou primeiro, mas, quando estava caindo, ela agarrou a camisa dele e o levou junto. Nadaram rapidamente, em silêncio, até o meio do rio, depois voltaram lentamente para o cais.

— Me dê a mão para subir — ela pediu.

Ensopados, com as roupas grudadas no corpo, subiram a escada.

— Vamos estar quase secos quando chegarmos ao carro — ele disse.

— Tinha correnteza esta noite — ela disse.

— Muita dissipação.

— Cuidado para eu não empurrar você barranco abaixo. Estou falando sério. — Ela riu. — Lembra-se do que a sra. Merriweather fazia com o coitado do marido? Quando casarmos, vou fazer igual.

As coisas ficavam feias para o sr. Merriweather quando discutia com a mulher enquanto estivesse passando por uma estrada. O sr. Merriweather não sabia dirigir e, se a briga ficasse séria, a mulher parava o carro e o obrigava a voltar de carona para a cidade. Uma vez, discutiram em uma estradinha de terra, e o sr. Merriweather ficou largado lá por sete horas até conseguir carona em uma carroça que passava por ali.

— Quando eu estiver na Assembleia, não poderemos tomar banho de rio à noite — avisou Henry.

— Então, não se candidate.

O carro avançava com um zumbido. Aos poucos, o vento frio diminuiu e voltou a ficar abafado. Jean Louise viu a luz de faróis no retrovisor e um carro passou por eles. Dali a pouco, passou outro e mais outro. Maycomb estava perto.

Com a cabeça apoiada no ombro dele, Jean Louise estava contente. "No fim das contas, pode dar certo", pensou. "Mas eu não sou dona de casa, não sei nem cozinhar. E sobre o que as mulheres conversam quando se visitam? Eu teria de usar chapéu. Deixaria os bebês caírem e os mataria."

Algo parecido com uma gigantesca abelha preta passou zunindo por eles e fez a curva derrapando. Ela se aprumou no banco, assustada.

— O que foi isso?

— Um carro lotado de negros.

— Céus, o que eles acham que estão fazendo?

— É assim que eles se afirmam hoje — respondeu Henry. — Têm dinheiro suficiente para comprar carros usados e andam pela estrada a toda velocidade. São uma ameaça pública.

— Têm carteira de motorista?

— A maioria não. Também não têm seguro.

— Meu Deus, e se acontecer alguma coisa?

— Só poderemos lastimar.

Na porta de casa, Henry beijou-a suavemente e se despediu.

— Nos vemos amanhã à noite? — perguntou.

Ela concordou.

— Boa noite, amor.

Com os sapatos na mão, entrou no quarto da frente na ponta dos pés e acendeu a luz. Tirou a roupa, vestiu a camisa do pijama e entrou na sala sem fazer barulho. Acendeu um abajur e foi até a estante de livros. "Que difícil" pensou. Percorreu com o dedo os volumes de história militar, parou em *A Segunda Guerra Púnica* e *A Carga da Brigada Ligeira*. "Não fazia mal estudar um pouco para sua visita a tio Jack", pensou. Voltou para o quarto, apagou a luz e acendeu o abajur. Deitou-se na mesma cama onde tinha nascido, leu três páginas e adormeceu com o abajur aceso.

TERCEIRA PARTE

6

— Jean Louise, Jean Louise, acorde!

A voz de Alexandra penetrou no inconsciente dela, que fez um esforço para despertar. Abriu os olhos e viu a tia de pé ao lado da cama.

— O quê...? — resmungou.

— Jean Louise, o que você achava que estava fazendo? O que você e Henry Clinton achavam que estavam fazendo quando foram nadar nus no rio na noite passada?

Jean Louise sentou-se na cama.

— Hum?

— Perguntei o que você e Henry Clinton achavam que estavam fazendo quando foram nadar nus no rio na noite passada. Maycomb inteira já sabe.

Jean Louise dobrou as pernas, apoiou a cabeça nos joelhos e tentou acordar.

— Quem contou isso a você, tia?

— Mary Webster ligou assim que raiou o dia. Disse que na noite passada vocês dois foram vistos nus no meio do rio à uma da manhã!

— Quem quer que tenha dito isso enxerga bem, mas viu demais — disse Jean Louise, e deu de ombros. — Bem, tia, acho que agora serei obrigada a me casar com Hank, não?

— Não... Não sei o que pensar de você, Jean Louise. Seu pai vai morrer, simplesmente morrer quando ficar sabendo. É melhor você contar a ele antes que fique sabendo na rua.

Atticus estava na porta do quarto, com as mãos nos bolsos.

— Bom dia. Por que eu vou morrer? — ele perguntou.

Alexandra respondeu:

— Não vou contar, Jean Louise. Você é quem tem de fazer isso.

Jean Louise fez um sinal silencioso para o pai, que entendeu a mensagem. Atticus parecia sério.

— O que houve? — ele perguntou.

— Mary Webster telefonou. Os espiões dela viram Hank e eu nadando no rio na noite passada, sem roupa.

— Hum — disse Atticus e ajeitou os óculos. — Espero que não tenham nadando de costas.

— Atticus! — exclamou Alexandra.

— Desculpe, Zandra. Isso é verdade, Jean Louise?

— Em parte. Desgracei completamente a família?

— Acho que vamos sobreviver.

Alexandra sentou-se na cama.

— Então é verdade — disse ela. — Jean Louise, em primeiro lugar, não sei o que você foi fazer no cais na noite passada...

— Sabe, sim, Mary Webster contou tudo, tia. Ela não contou o que aconteceu depois? Me dê o meu robe, por favor, senhor.

Atticus jogou as calças do pijama para ela. Ela as vestiu por baixo do lençol, afastou-o e esticou as pernas.

— Jean Louise... — Alexandra começou e em seguida se deteve.

Atticus estava segurando o vestido de algodão, seco mas completamente amassado. Colocou-o em cima da cama e foi até a cadeira. Pegou uma anágua igualmente seca e amassada, segurou-a no ar e deixou-a cair em cima do vestido.

— Pare de atormentar a sua tia, Jean Louise. Estes são os seus trajes de banho?

— São. Acha que devíamos andar com eles pela cidade pendurados em uma vara?

Alexandra, perplexa, apontou as roupas de Jean Louise e perguntou:

— Mas o que deu em você para entrar na água de roupa? — Quando o irmão e a sobrinha riram, ela disse: — Não tem graça. Mesmo que tenham entrado no rio de roupa, Maycomb não vai aplaudi-los por isso. Daria no mesmo se tivessem mergulhado nus. Não sei o que tinham na cabeça quando resolveram fazer isso.

— Eu também não sei — concluiu Jean Louise. — Na verdade, se serve de consolo, tia, não foi tão divertido. Começamos a nos provocar, eu desafiei Hank, ele não pôde recuar, e então eu não pude recuar e acabamos os dois caindo na água.

Alexandra não ficou nem um pouco impressionada.

— Na idade de vocês, Jean Louise, esse comportamento é inadmissível.

Jean Louise suspirou e saiu da cama.

— Bem, sinto muito. Tem café? — perguntou.

— Tem um bule de café inteiro à sua espera.

Jean Louise encontrou o pai na cozinha. Foi até o fogão, serviu-se de uma xícara de café e se sentou à mesa.

— Como você consegue tomar leite gelado no café da manhã?

Atticus bebeu um gole.

— É melhor que café.

— Quando Jem e eu implorávamos para que Calpúrnia nos desse café, ela dizia que íamos ficar pretos como ela. Está zangado comigo?

Atticus riu.

— Claro que não. Mas há coisas muito mais interessantes para fazer no meio da noite do que essa brincadeira. É melhor você se arrumar para ir à escola dominical.

A cinta modeladora que Alexandra usava aos domingos era ainda mais impressionante do que as que usava durante a semana. Ela estava em pé na porta do quarto de Jean Louise, arrumada, perfumada, de chapéu e luvas, pronta para sair.

Domingo era o seu dia: antes e depois da escola dominical, ela e outras quinze senhoras metodistas sentavam-se no salão da igreja e realizavam um simpósio que Jean Louise chamava de "Resenha das Notícias da Semana". Jean Louise lastimava ter privado a tia daquele prazer semanal. Naquele domingo, Alexandra ia ficar suscetível, mas Jean Louise tinha certeza de que ela seria capaz de travar uma guerra defensiva com quase tanta competência tática como a que demonstrava em suas campanhas ofensivas, e que sairia e assistiria ao sermão com a reputação da sobrinha intacta.

— Jean Louise, está pronta?

— Quase — ela respondeu. Passou batom, ajeitou o cabelo, relaxou os ombros e virou-se para a tia.

— O que acha? — perguntou.

— Nunca vi você completamente arrumada na vida. Cadê o chapéu?

— Tia, você sabe muito bem que, se eu aparecer na igreja de chapéu hoje, vão pensar que alguém morreu.

A única vez que usou chapéu foi no enterro de Jem. Sem saber muito bem por que, antes do funeral pediu ao sr. Ginsberg que abrisse a chapelaria, escolheu um e enfiou-o na cabeça, apesar de saber que o irmão ia rir dela se pudesse vê-la daquele jeito. Mas, de alguma maneira, aquilo fez com que se sentisse melhor.

Quando chegaram, o tio Jack estava esperando na escadaria da igreja.

O dr. John Hale Finch não era mais alto que a sobrinha, que tinha um metro e setenta. Tinha herdado do pai o nariz com a ponte elevada, o lábio inferior severo e as maçãs do rosto salientes. Era parecido com a irmã Alexandra, mas a semelhança terminava no pescoço: o dr. Finch era magro, quase esquelético, enquanto a irmã era mais robusta. Ele era a razão de Atticus só ter se casado depois dos quarenta: quando chegou a hora de escolher uma profissão, John Hale Finch decidiu ser médico, em uma época em que o algodão estava valendo dois centavos o quilo e os Finch tinham tudo, menos dinheiro. Atticus, que ainda não tinha se estabelecido na profissão, gastou e tomou emprestado tudo o que pôde para custear os estudos do irmão. No devido tempo, tudo foi devolvido com juros.

O dr. Finch formou-se em ortopedia, teve consultório em Nashville e soube aplicar seu dinheiro na Bolsa. Assim, aos quarenta e cinco anos pôde se aposentar e dedicar-se inteiramente ao seu primeiro e grande amor: a literatura vitoriana, o que lhe deu fama de ser o excêntrico mais erudito do condado Maycomb.

O dr. Finch consumiu tanto e tão intensamente essa bebida inebriante que desenvolveu curiosos maneirismos e passou a acompanhar suas frases de exclamações esquisitas. Suas conversas eram pontuadas de suaves ahs e hums e expressões arcaicas sobre as quais costumava vacilar precariamente seu pendor por gírias modernas. Tinha um humor mordaz, era distraído e, embora ainda fosse solteiro, dava a impressão de ter boas lembranças do sexo oposto. Tinha uma gata amarela de dezenove anos e era incompreendido pela maioria dos habitantes do condado, pois sua conversa era salpicada de sutis alusões a obscuridades vitorianas.

Quem não o conhecia achava que se tratava de um caso limítrofe, mas os que sintonizavam a frequência dele sabiam que o dr. Finch eram uma mente extremamente lúcida, sobretudo quando se tratava de questões de mercado, por isso os amigos muitas vezes se submetiam a longas preleções sobre a poesia de Macworth Praed a fim de ouvir os conselhos dele. Devido a uma longa e profunda convivência com o tio (em sua adolescência solitária, o dr. Finch tinha tentado transformá-la em uma intelectual), Jean Louise passou a entender o suficiente sobre os assuntos do qual ele falava para poder acompanhá-lo na maior parte do tempo, e se deliciava com as conversas dele. Quando não provocava nela uma crise de riso sufocado, Jean Louise ficava fascinada com a incrível memória e a mente inquieta do tio.

— Bom dia, filha de Nereu! — cumprimentou o tio, beijando-a na bochecha. Uma das poucas concessões que ele tinha feito ao século XX tinha sido o telefone. Manteve a sobrinha a um braço de distância e olhou-a com um interesse bem-humorado. — Está na cidade há apenas dezenove horas e já provou sua tendência a excessos ablucionários, ah! É um exemplo clássico de behaviorismo watsoniano... Acho que vou escrever um artigo sobre você para o jornal da Associação Médica Americana.

— Fique quieto, seu velho charlatão — Jean Louise sussurrou entre dentes. — Hoje à tarde vou visitá-lo.

— Você e Hank de travessuras no rio, ah! Deviam ter vergonha... Que desgraça para a família... Se divertiram?

A escola dominical estava começando e o dr. Finch fez um gesto para que ela entrasse:

— O sem-vergonha do seu namorado está esperando você lá dentro — ele informou.

Jean Louise dirigiu um olhar ao tio que não o abalou nem um pouco e entrou na igreja com toda a dignidade de que era capaz. Sorriu e cumprimentou os metodistas de Maycomb, instalou-se junto à janela de sua antiga sala de aula e, como de costume, dormiu de olhos abertos durante toda a aula.

7

"Nada como um hino horripilante para a gente se sentir em casa", pensou Jean Louise. Qualquer sensação de isolamento que pudesse ter murchou e desapareceu na presença de cerca de duzentos pecadores suplicando, de coração, para serem imersos nas águas redentoras de um rio vermelho*. Enquanto oferecia ao Senhor os frutos da loucura do sr. Cowper ou declarava que o amor a elevava, Jean Louise compartilhou do fervor comum aos diferentes indivíduos que, durante uma hora por semana, se encontram no mesmo barco.

Ela estava sentada com a tia no banco do meio, no lado direito do salão. O pai e o tio estavam à esquerda, na terceira fila. O motivo por que se acomodavam ali era um mistério para Jean Louise, mas se sentavam lado a lado desde que o tio tinha voltado para Maycomb. "Ninguém diria que são irmãos", ela pensou. "É difícil acreditar que Atticus é dez anos mais velho que tio Jack."

Atticus Finch era parecido com a mãe; já Alexandra e John Hale Finch se pareciam com o pai. Atticus era um pouco mais alto que o irmão, tinha o rosto largo, nariz reto, boca grande e fina, mas alguma

---

* Alusão ao hino 622 da Igreja Metodista Unida, *Há uma fonte cheia de sangue*, de autoria do britânico William Cowper (1731-1800). (N. do E.)

coisa nos três evidenciava seu parentesco. "Tio Jack e Atticus estão ficando com a cabeça grisalha nos mesmos lugares e têm os olhos iguais, é isso", pensou Jean Louise, e tinha razão. Todos os Finch tinham sobrancelhas retas e marcantes e pálpebras caídas; e quando olhavam para o lado, para cima ou para a frente, até um observador desinteressado teria um vislumbre do que em Maycomb chamavam de traço de família.

Os pensamentos dela foram interrompidos por Henry Clinton. Ele passou o prato da coleta para as pessoas sentadas no banco atrás dela e, enquanto esperava que seu colega de coleta voltasse pela fileira onde ela estava, deu-lhe uma boa piscadela, com ar solene. Alexandra viu e ficou possessa. Henry e o outro rapaz voltaram para o corredor central e pararam, respeitosos, diante do altar.

Assim que terminava a arrecadação, os metodistas de Maycomb cantavam a chamada *Doxologia*. Dessa forma o pastor não precisava rezar sobre o prato da coleta, poupando-o assim do esforço de inventar mais uma oração, pois àquela altura já tinha feito três grandes invocações ao Senhor. Desde as mais antigas lembranças eclesiásticas de Jean Louise, os fiéis de Maycomb cantavam a *Doxologia* do mesmo jeito:

Louvemos... o Senhor... que concede...todas...as graças

Interpretação tão arraigada entre os metodistas do Sul quanto o costume de ofertar provisões para o pastor. Naquele domingo, Jean Louise e os demais fiéis estavam se preparando para cantar quando, de repente, do nada, a sra. Clyde Haskins entoou, tocando o órgão:

Louvemos o Senhor, que concede todas as graças
Louvem-no todas as criaturas da Terra
Louvem-no nas alturas, ó, hostes celestiais
Louvados sejam o Pai, o Filho e o Espírito Santo!

Na confusão que se seguiu, se o arcebispo de Canterbury surgisse com toda a sua indumentária, Jean Louise não teria ficado nem um pouco surpresa: os fiéis, que tinham ignorado qualquer mudança na interpretação que a sra. Haskins sempre fazia, entoaram a *Doxologia* até o final, como estavam acostumados, enquanto ela prosseguia loucamente como se estivesse tocando na catedral de Salisbury.

Primeiro, Jean Louise achou que Herbert Jemson tinha enlouquecido. Herbert Jemson era diretor musical da Igreja Metodista de Maycomb desde que ela se entendia por gente. Era um homem grande e bom, com uma suave voz de barítono, que comandava com maestria um coro de solistas frustrados e tinha uma memória infalível para os hinos preferidos dos superintendentes distritais. Nas disputas eclesiásticas que faziam parte da prática metodista local, Herbert era o único que não se exaltava, que falava com sensatez e conciliava os indivíduos mais primitivos da congregação com a facção revolucionária dos *Yong Turks*. Tinha dedicado trinta anos à Igreja, que recentemente o tinha recompensado com uma viagem para um acampamento musical metodista na Carolina do Sul.

O segundo impulso de Jean Louise foi culpar o pastor, um tal de sr. Stone, jovem que, na opinião do dr. Finch, possuía o maior talento para o tédio já visto em um homem de menos de cinquenta anos. Não havia nada de errado com o sr. Stone a não ser o fato de que ele possuía todas as qualificações necessárias para um contador: não gostava de gente, era rápido com números, não tinha senso de humor e era um tolo.

Como, durante muitos anos, a igreja de Maycomb não tinha sido grande o suficiente para ter um bom pastor, mas era grande demais para ter um pastor medíocre, a cidade adorou quando, na última Conferência da Igreja Metodista, as autoridades resolveram enviar para lá um jovem cheio de energia. Mas, em menos de um ano, o jovem pastor tinha impressionado a congregação de tal forma que, certo domingo, levou o dr. Finch a comentar, em tom distraído e audível:

— Pedimos pão e nos deram pedra.*

Fazia tempo que as pessoas desconfiavam que o sr. Stone tinha tendências liberais, pois era simpático demais com seus confrades ianques. Pouco tempo antes, tinha saído com a reputação um pouco arranhada de uma discussão sobre o Credo e, o pior, era considerado um homem ambicioso. Jean Louise estava construindo um caso irrefutável contra ele quando se lembrou de que o sr. Stone não tinha ouvido para a música.

Sem se deixar abalar pela mostra de deslealdade de Herbert Jemson, da qual não tinha se dado conta, o sr. Stone se levantou e subiu ao púlpito com a Bíblia nas mãos. Abriu-a e disse:

— Hoje vou ler o capítulo vinte e um, versículo seis, do Livro de Isaías: *Porque assim me disse o Senhor: Vá, coloque um vigia, que anuncie o que vir.*

Jean Louise fez um esforço sincero para ouvir o que o vigia do sr. Stone tinha visto, mas, apesar de suas tentativas de reprimir-se, sentiu que seu bom humor se transformava em indignado desprazer e passou todo o serviço religioso encarando Herbert Jemson. Como ele se atrevia a mudar? Estava querendo que voltassem para a Santa Madre Igreja? Se tivesse se deixado dominar pela razão, teria se dado conta de que Herbert Jemson era um metodista fabricado: seus conhecimentos de teologia eram notoriamente escassos, mas, por outro lado, tinha uma longa lista de boas obras.

Eliminada a *Doxologia*, o passo seguinte seria começarem a espargir incenso — *Minha doxa é ortodoxa.* "Foi tio Jack que disse isso ou foi um dos velhos bispos dele?" Olhou para o outro lado da nave e viu o perfil afilado do tio. "Está irritado", ela pensou.

O sr. Stone continuava com seu discurso monótono.

— ... o cristão pode se livrar das frustrações da vida moderna... comparecendo à "noite da família" todas as quartas-feiras e trazendo um prato de comida... esteja sempre convosco, amém."

---

* *Stone* é pedra em inglês. (N. da T.)

O sr. Stone tinha acabado de dar a bênção e se encaminhava para a porta da frente quando Jean Louise atravessou a nave disposta a encurralar Herbert, que tinha ficado para trás para fechar as janelas. O dr. Finch foi mais rápido:

— Ele não devia cantar assim, Herbert — disse ele —, afinal, somos metodistas, D.V.

— Não ponha a culpa em mim, dr. Finch. — Ele levantou os braços como para se defender do que quer que estivesse por vir. — Foi assim que nos ensinaram a cantar no acampamento Charles Wesley.

— Não vai aceitar uma coisa dessas sem reagir, vai? Quem disse para você fazer assim? — O dr. Finch apertou o lábio inferior até ele quase sumir e soltou-o com um estalo.

— O professor de música. Ele ministrou um curso sobre os erros nas músicas litúrgicas do Sul. Ele era de Nova Jersey — respondeu Herbert.

— Ah, foi?

— Sim, senhor.

— Que erros ele apontou?

— Disse que, como cantamos a maior parte dos hinos, daria no mesmo se cantássemos "Ponha seu focinho debaixo da fonte de onde jorra o Evangelho". Disse que a igreja deveria banir as músicas de Fanny Crosby por lei e que o hino *Rocha eterna* era uma ofensa ao Senhor.

— É mesmo?

— E que devíamos animar a *Doxologia*.

— Animar? Como?

— Do jeito que cantamos hoje.

O dr. Finch sentou-se no banco da frente. Esticou um braço sobre o encosto e ficou tamborilando, pensativo. Olhou para Herbert.

— Pelo jeito, nossos irmãos do Norte não se contentam apenas com a atividade da Suprema Corte. Agora também querem mudar os nossos hinos.

— Ele disse que devemos nos livrar dos hinos sulistas e aprender outros — acrescentou Herbert. — Eu não gostei... Os que ele ensinou eram bonitos, mas não tinham melodia.

O ah! do dr. Finch foi mais seco que o normal, prova definitiva de que estava perdendo a paciência. Conteve-se o suficiente para questionar:

— Hinos sulistas, Herbert? Sulistas? — Pôs as mãos nos joelhos, endireitou a coluna e disse: — Herbert, vamos nos sentar tranquilamente neste local santo e analisar com calma a questão. Se entendi bem, esse homem quer que cantemos a *Doxologia* exatamente como na Igreja Anglicana, mas ele se contradiz... se contradiz... e quer que deixemos de lado... *Permanece comigo, senhor?*

— Certo.

— De Lyte.

— Ahn... O que, senhor?

— Lyte, senhor. Lyte. O que acha de *Contemplo a magnífica cruz?*

— Esse também — disse Herbert. — Ele nos deu uma lista.

— Ele fez uma lista, é? Imagino que *Avante, soldados cristãos* também esteja nela?

— É o primeiro.

— Argh! H. F. Lyte, Isaac Watts, Sabine Baring-Gould — O dr. Finch pronunciou o último nome como se fazia em Maycomb, prolongando os *as* e os *is* e fazendo uma pausa entre outras sílabas. — Todos ingleses, Herbert, até o último fio de cabelo. Ele quer descartá-los e, ao mesmo tempo, fazer com que cantemos a *Doxologia* como se estivéssemos na abadia de Westminster, não é? Pois vou lhe dizer uma coisa...

Jean Louise olhou para Herbert, que assentia com a cabeça, mostrando que estava de acordo, e para o tio, que parecia Theobald Pontifex.

— Esse homem é um esnobe, Herbert, quanto a isso não há dúvida.

— Ele era meio fresco — acrescentou Herbert.

— Aposto que era. Vai continuar com toda essa bobagem?

— Céus, não — garantiu Herbert. — Pensei em testar uma vez, só para confirmar o que eu já imaginava. A congregação nunca vai aprender a cantar isso. Além do mais, prefiro os hinos antigos.

— Eu também, Herbert — concordou o dr. Finch. Levantou-se e deu o braço para Jean Louise. — Vejo você no próximo domingo, à mesma hora, e se encontrar essa igreja um centímetro que seja fora dos eixos, vou responsabilizá-lo pessoalmente.

Alguma coisa no olhar do dr. Finch disse a Herbert que a ameaça era brincadeira. Ele riu e disse:

— Não se preocupe, senhor.

O dr. Finch acompanhou Jean Louise até o carro, onde Atticus e Alexandra aguardavam.

— Quer uma carona? — a sobrinha perguntou.

— Claro que não — respondeu o dr. Finch.

Ele tinha o costume de ir e voltar da igreja a pé aos domingos, o que fazia sem se abalar com tempestades, sol escaldante ou frio gélido.

Quando se virou para ir embora, Jean Louise o chamou.

— Tio Jack, o que quer dizer D.V.? — perguntou.

O dr. Finch deu um suspiro como se dissesse "Menina, você não tem um pingo de cultura", franziu o cenho e explicou:

— *Deo volente.* "Com a graça de Deus", menina, "com a graça de Deus". Uma expressão católica confiável.

8

Com a mesma rapidez que um menino malvado arranca da terra a larva de uma formiga-leão e a deixa se contorcendo ao sol, Jean Louise foi arrebatada de sua tranquilidade e deixada à própria sorte para proteger da melhor maneira que pudesse sua sensível epiderme, exatamente às duas e vinte e oito de uma úmida tarde de domingo. As circunstâncias que levaram a esse evento foram as seguintes:

Depois do almoço, durante o qual Jean Louise divertiu a família com as observações do dr. Finch sobre hinos religiosos modernos, Atticus estava sentado em seu canto da sala lendo os jornais dominicais e ela esperava com impaciência pela tarde de risadas que desfrutaria com o tio, o que incluía bolinhos e o café mais forte de Maycomb.

A campainha tocou. Ela ouviu Atticus dizer: "Pode entrar!", e Henry perguntar: "Está pronto, sr. Finch?"

Ela largou o pano de prato e, antes que conseguisse sair da cozinha, Henry enfiou a cabeça pela porta entreaberta e disse:

— Oi.

Alexandra o fulminou imediatamente:

— Henry Clinton, você devia se envergonhar.

Henry, que era um sedutor considerável, usou de todo o seu charme com Alexandra, mas ela não deu mostras de que ia se deixar comover.

— Srta. Alexandra — argumentou ele —, a senhora não consegue ficar zangada conosco por muito tempo, mesmo que tente.

— Dessa vez eu dei um jeito, mas na próxima pode ser que eu não esteja mais por aqui.

— Agradecemos muito, srta. Alexandra. — Henry se voltou para Jean Louise e disse: — Pego você às sete e meia, mas nada de cais, vamos ao cinema.

— Tudo bem. Aonde vocês estão indo?

— Ao tribunal. Vai haver uma reunião.

— Em um domingo?

— É.

— Certo, eu sempre me esqueço de toda a politicagem que fazem por aqui aos domingos.

Atticus apressou Henry.

— Até logo, querida.

Jean Louise seguiu-o até a sala. Quando a porta bateu depois que eles saíram, ela foi até a poltrona do pai para arrumar os jornais que ele tinha largado pelo chão. Pegou-os, colocou-os em ordem e ajeitou-os em uma pilha no sofá. Atravessou a sala outra vez para organizar a pilha de livros sobre a mesinha de leitura e, enquanto o fazia, viu um panfleto do tamanho de um envelope.

Na capa havia o desenho de um negro antropófago com o título *Peste negra*. O nome do autor era acompanhado de vários títulos acadêmicos. Ela abriu o panfleto, sentou-se na poltrona do pai e começou a ler. Quando terminou, ela o pegou pela ponta como quem carrega um rato morto pelo rabo e foi até a cozinha. Segurou o panfleto na frente da tia.

— O que é esta coisa? — perguntou.

Alexandra olhou por cima dos óculos e concluiu:

— É uma das coisas do seu pai.

Jean Louise abriu a lata do lixo e jogou o papel lá dentro.

— Não faça isso — disse Alexandra. — É difícil arrumar um desses ultimamente.

Jean Louise abriu a boca para dizer algo, fechou e voltou a abrir.

— Tia, você leu este negócio? Sabe o que diz?

— Claro que sim.

Jean Louise teria ficado menos surpresa se a tia tivesse dito uma obscenidade.

— Você... Tia, você sabia que as coisas que estão neste papel fazem o dr. Goebbels parecer um ingênuo menino do campo?

— Não sei do que você está falando, Jean Louise. Esse texto contém muitas verdades.

— Ah, com certeza — concordou Jean Louise, irritada. — Gostei especialmente da parte que diz que os negros, coitadinhos, não têm culpa de serem inferiores à raça branca porque seu crânio é mais espesso e a cavidade craniana mais superficial, seja lá o que isso significa; então, devemos ser muito pacientes com eles, não permitir que façam nada que possa prejudicá-los e mantê-los no seu lugar. Meu Deus, tia...

Alexandra ficou dura e reta como um cabo de vassoura.

— E daí?

— É só que eu não sabia que você gostava de ler coisas imorais, tia.

A tia ficou calada e Jean Louise continuou:

— Fiquei realmente impressionada com a parábola que diz que, desde o alvorecer da história, todos os que comandaram o mundo sempre foram brancos, exceto Gengis Khan ou alguém assim. Quanto a isso o autor é bem justo, e deixa bem claro que até os faraós eram brancos e seus súditos eram negros ou judeus...

— Mas é verdade, não é?

— Sim, mas o que isso tem a ver com o caso?

Quando ficava apreensiva, ansiosa ou irritada, sobretudo quando enfrentava a tia, o cérebro de Jean Louise funcionava no ritmo e na métrica das operetas de Gilbert. Três figuras animadas rodopiavam sem parar na cabeça dela: tio Jack, Dill e ela dançando durante horas no compasso de cantigas disparatadas que adiavam a chegada do amanhã, com todos os seus problemas.

— Eu já disse, foi uma coisa que seu pai trouxe de uma reunião do conselho de cidadãos.*

— De uma reunião do quê?

— Conselho de Cidadãos do Condado Maycomb. Não sabia que temos um?

— Não, não sabia.

— Bom, seu pai é da junta diretora e Henry é um dos membros mais ativos. — Alexandra suspirou. — Não que realmente precisemos de um conselho. Ainda não aconteceu nada aqui em Maycomb, mas é sempre bom prevenir. É lá que eles estão agora.

— Um conselho de cidadãos? Em Maycomb? — Jean Louise ouviu a própria voz repetindo feito boba. — E Atticus...?

— Jean Louise — disse Alexandra —, acho que você não sabe exatamente o que tem acontecido por aqui...

Jean Louise deu meia-volta, saiu pela porta da frente, atravessou o amplo jardim e desceu a rua em direção à cidade o mais rápido que pôde, enquanto, atrás dela, ressoava como um eco a voz de Alexandra: "Você não vai à cidade *vestida assim.*" Esqueceu-se de que havia um carro em bom estado na garagem, cujas chaves estavam na mesa do hall de entrada. Andava depressa, no ritmo dos versos absurdos que passavam por sua cabeça:

> *Vai ser assim,*
> *Se eu me casar com você,*
> *Quando chegar a sua hora de morrer,*
> *A moça de quem você gosta*
> *Também deverá ser morta!*
> *Vai ser assim!***

---

* Os conselhos de cidadãos (Citizens' Councils ou White Citizens' Councils) eram uma rede de organizações, criadas nos anos 1950, que pregava a supremacia branca nos Estados Unidos, concentrando-se no sul do país. Foram fundados, inicialmente, para se opor à integração racial nas escolas, depois que a Suprema Corte declarou que a segregação racial nas escolas públicas era ilegal. (N. do E.)

** Canção da opereta vitoriana *Mikado*, de Gilbert e Sullivan. (N. da T.)

O que Hank e Atticus estavam pretendendo? O que estava acontecendo? Ela não sabia, mas ia descobrir antes do fim do dia.

Tinha algo a ver com o panfleto que tinha achado em casa, bem ali, diante de Deus e de quem mais quisesse ver, algo relacionado com os conselhos de cidadãos. Ela sabia o que eram os conselhos, é claro. Os jornais de Nova York estavam cheios de notícias sobre eles. Desejou ter lhes dado mais atenção, mas bastava uma olhada em uma coluna para ver uma história conhecida: as mesmas pessoas que faziam parte do Império Invisível,* que detestavam os católicos; ignorantes, covardes, raivosos, grosseiros, caipiras respeitadores das leis, cem por cento anglo-saxões, seus conterrâneos americanos... escória.

Atticus e Hank deviam estar tramando alguma coisa, com certeza frequentavam as reuniões só para ver o que ia acontecer... A tia tinha dito que Atticus era da junta diretora. Estava enganada. Era tudo um equívoco; a tia às vezes se confundia...

Jean Louise reduziu o passo quando chegou à cidade. Estava deserta, havia apenas dois carros em frente à farmácia. O velho edifício do tribunal se erguia, branco, sob o sol forte da tarde. Um cachorro preto andava a passos largos pela rua ao longe, as araucárias farfalhavam baixinho nos cantos da praça.

Quando se dirigiu à entrada do lado norte, viu carros vazios parados em fila dupla ao longo de todo o prédio.

Quando subiu a escadaria do tribunal e entrou, sentiu falta dos homens idosos que ficavam por ali sem fazer nada, do bebedouro com água gelada do lado de dentro da porta, das cadeiras de assento de palhinha no corredor. Não sentiu nenhuma falta, por outro lado, do cheiro adocicado de urina dos cubículos escuros. Passou pela sala do arrecadador de impostos, do assessor fiscal, do escrevente do condado, do tabelião, do juiz testamentário; subiu a velha escada sem pintura até o andar da sala do tribunal e, em seguida, uma escadinha coberta que levava à galeria dos negros, entrou e sentou-se no lugar

---

* Nome pelo qual a Ku Klux Klan também era conhecida. (N. do E.)

de sempre, no canto da primeira fila, onde ela e o irmão ficavam quando iam ver o pai.

Lá embaixo, sentados em bancos rústicos, estava quase toda a escória de Maycomb, mas também os homens mais respeitáveis do condado.

Jean Louise olhou para o fundo da sala e, atrás da balaustrada que separava o tribunal do público, em uma mesa comprida, estavam sentados o pai dela, Henry Clinton, vários homens que ela conhecia bem e um que não conhecia.

Na extremidade da mesa, parecendo uma enorme lesma cinzenta, estava William Willoughby, símbolo político de tudo o que o pai dela e homens como ele desprezavam. "Esse sim é o último da sua espécie", ela pensou. "Atticus mal fala com ele e, no entanto, lá está ele na mesma..."

William Willoughby era sem dúvida o último de sua espécie, pelo menos por algum tempo. Estava se esvaindo lentamente em meio à abundância, porque sua seiva vital era a pobreza. Em todos os condados do Sul profundo havia um sujeito como ele, tão parecidos entre si que formavam uma categoria à parte, chamada "Ele", o "Grande Homem" ou o "Homenzinho", conforme as sutis diferenças territoriais. "Ele", ou como quer que o chamassem seus súditos, ocupava o cargo administrativo mais importante do condado (em geral, xerife, juiz ou juiz testamentário), mas também havia anomalias, como o Willoughby de Maycomb, que tinha preferido não ocupar nenhum cargo público. Willoughby era um caso raro: sua preferência por permanecer nos bastidores implicava a ausência da imensa vaidade que era a característica fundamental dos tiranos que não valem nada.

Willoughby decidiu mandar no condado instalado não no escritório mais confortável, mas no que podia ser mais bem descrito como um covil, uma salinha fedorenta e escura com seu nome escrito em uma placa na porta e na qual havia apenas um telefone, uma mesinha e cadeiras sem pintura de madeira lustrosa. Aonde quer que fosse, ele era seguido por um pequeno séquito de sujeitos passivos e em sua maioria nefastos, conhecidos como Tropa do Tribunal, indivíduos que ele tinha colocado em diversos cargos no condado e no município a fim de que cumprissem suas ordens.

Sentado à mesa ao lado de Willoughby estava um desses sujeitos, Tom-Carl Joyner, seu braço direito, posição da qual muito se orgulhava, pois não estava com ele desde o começo? Não era ele quem fazia todo o trabalho braçal? Nos velhos tempos da Depressão, não era ele quem ia bater na porta dos inquilinos à meia-noite? Não era ele quem buzinava na cabeça de todo coitado faminto e ignorante que recebia assistência social (fosse na forma de trabalho ou ajuda financeira) que tinha de votar com Willoughby? Não vota, não come. Como seus comparsas menos importantes, com o passar do tempo Tom-Carl tinha assumido um ar de respeitabilidade que não lhe cabia, e não gostava de ser lembrado de seu começo sórdido. Naquele domingo, ele estava sentado ali com a certeza de que o pequeno império que tinha construído com tanto esforço seria seu quando Willoughby perdesse o interesse ou morresse. Nada no rosto de Tom-Carl indicava que ele poderia ter uma surpresa desagradável: uma independência proporcionada pela prosperidade já havia minado seu reino a ponto de deixá-lo à beira da ruína; bastavam mais duas votações para fazê-lo ruir e virar tese de mestrado de algum sociólogo. Jean Louise olhou para a cara pretensiosa dele e quase riu ao pensar que o Sul era de fato implacável ao recompensar seus funcionários públicos com a extinção.

Olhou para as fileiras de cabeças conhecidas — cabelos grisalhos, cabelos castanhos, cabelos cuidadosamente penteados para esconder a ausência de cabelos — e se lembrou de que, muito tempo atrás, quando o julgamento estava enfadonho, atirava bolinhas de papel molhado nas brilhosas cabeças lá embaixo. Um dia, o juiz Taylor viu e ameaçou prendê-la.

O relógio do tribunal rangeu, tensionou, fez ploc! e anunciou as horas. Duas da tarde. Quando o som se dissipou, ela viu o pai se levantar e dirigir-se aos presentes com o tom seco que costumava adotar no tribunal:

— Senhores, nosso orador hoje é o sr. Grady O'Hanlon, que dispensa apresentações. Sr. O'Hanlon.

O sr. O'Hanlon ficou de pé e disse:

— Como a vaca disse ao leiteiro em uma manhã fria: "Obrigado pela cálida mão."

Jean Louise nunca tinha visto o sr. O'Hanlon nem tinha ouvido falar dele na vida. Suas palavras iniciais, porém, logo deixaram claro quem era: um homem simples e temente a Deus como outro qualquer, que tinha parado de trabalhar para se dedicar em tempo integral a preservar a segregação racial. "Bom, tem gosto para tudo", ela pensou.

O sr. O'Hanlon tinha cabelos castanho-claros, olhos azuis e expressão obstinada; usava uma gravata horrenda e estava sem paletó. Abriu o colarinho, afrouxou a gravata, piscou, passou a mão pelos cabelos e foi direto ao assunto.

Era nascido e criado no Sul, onde tinha frequentado a escola, casado com uma sulista e vivido desde sempre. Seu maior interesse no momento era manter o estilo de vida sulista, e nenhum crioulo ou Supremo Tribunal ia dizer a ele nem a ninguém o que fazer... Uma raça de gente tão burra quanto... inferior... De cabelo pixaim... Gente que ainda não tinha descido das árvores... Fedidos e suarentos... Casar com as nossas filhas... Miscigenar a raça... *Miscigenar*... Salvar o Sul... Segunda-feira Negra... Mais insignificantes do que baratas... Deus criou as raças... Ninguém sabe por que, mas Ele quis separá-las... Senão, teria feito todos nós da mesma cor... Voltem para a África...

Ela ouviu a voz do pai, uma vozinha vinda do cálido e acolhedor passado: "Senhores, se tem uma coisa no mundo na qual acredito é nisto: Direitos iguais para todos, privilégios para ninguém."

Esses pregadores negros de meia-tigela... Como macacos... Bocas que mais parecem uma lata de meio litro... Distorcem o Evangelho... O tribunal prefere ouvir os comunistas... Pôr todos para fora e dar-lhes um tiro como traidores...

Com a falação do sr. O'Hanlon ao fundo, como um zumbido, uma lembrança contrária começou a emergir: a sala do tribunal mudou de maneira quase imperceptível e ao olhar para baixo Jean Louise via as mesmas cabeças. Quando olhou para o outro lado da sala, havia um júri na tribuna; o juiz Taylor estava na bancada, com o estenógrafo logo abaixo, anotando tudo sem parar; Atticus estava de pé. Tinha se levantado de uma mesa na qual dava para ver de costas o cabelo pixaim de alguém...

Atticus Finch raramente aceitava um caso criminal, não gostava de direito penal. Só tinha aceitado aquele caso porque sabia que o acusado era inocente e em hipótese alguma poderia permitir que o rapaz negro fosse para a prisão por causa de um advogado de defesa medíocre, nomeado pelo tribunal. O rapaz chegara até ele por intermédio de Calpúrnia, tinha contado sua versão e dissera a verdade. E a verdade era horrível.

Atticus tomou as rédeas de sua carreira, tirou proveito de uma acusação mal fundamentada, enfrentou os jurados e conseguiu o que ninguém mais conquistara antes ou depois no condado Maycomb: a absolvição de um rapaz negro acusado de estupro. A principal testemunha de acusação era uma garota branca.

Atticus tinha duas grandes vantagens: embora a garota tivesse apenas catorze anos, o réu não fora acusado de abuso de menor, de modo que ele podia demonstrar, e demonstrou, que tinha havido consentimento, o que acabou sendo mais fácil de provar do que em circunstâncias normais, pois o réu tinha apenas um braço. O outro fora perdido em um acidente com uma serra.

Atticus conduziu o caso até a conclusão com toda a sua habilidade e sentindo ao mesmo tempo um desgosto instintivo tão amargo que apenas o fato de saber que depois poderia viver em paz consigo mesmo conseguiu eliminar. Depois do veredicto, saiu do tribunal no meio do dia, foi para casa e tomou um banho quente. Não pensou no quanto tudo aquilo tinha lhe custado; nunca olhou para trás. Nunca soube que um par de olhos parecidos com os dele o observavam da galeria.

— Não se trata de saber se crioulos arrogantes vão ser colegas dos nossos filhos na escola ou se sentar nos bancos da frente do ônibus, mas de saber se a civilização cristã vai continuar a existir ou se vamos nos tornar escravos dos comunistas... advogados crioulos... pisotearam a Constituição... nossos amigos judeus... mataram

Jesus... votaram em crioulos... nossos avós... juízes e xerifes crioulos... a segregação é justa... noventa e cinco por cento do dinheiro dos impostos... para os crioulos e o velho cão de caça... procurando o bezerro de ouro... preguem o Evangelho... a velha sra. Roosevelt... amante de crioulos... recebe quarenta e cinco crioulos, mas nenhuma virgem sulista... Huey Long, o cavalheiro cristão... preto como borra de café... subornou a Suprema Corte... cristãos brancos e decentes... será que Jesus foi crucificado para que os crioulos...

A mão de Jean Louise escorregou. Ela a tirou do parapeito da galeria e olhou para ela: estava úmida de suor. Uma mancha de suor no parapeito refletia a luz fraca que entrava pelas janelas de cima. Ela olhou para o pai, sentado à direita do sr. O'Hanlon, e não acreditou no que via. Olhou para Henry, sentado à esquerda do sr. O'Hanlon, e não acreditou no que via...

Mas o tribunal estava cheio. Homens íntegros e inteligentes, responsáveis, direitos. Homens de todos os tipos e reputações... Parecia que o único homem do condado que não estava presente era tio Jack. Tio Jack... Tinha que ir visitá-lo em algum momento, mas quando?

Ela não entendia muito dos assuntos dos homens, mas sabia que o fato de o pai estar na mesma mesa que aquele homem que cuspia imundícies... as tornava menos imundas? Não, as legitimava.

Sentiu náusea. O estômago deu um nó e ela começou a tremer.

Hank.

Todos os nervos do seu corpo se retesaram e em seguida sucumbiram. Ela estava atordoada.

Levantou-se e, cambaleando, saiu da galeria e desceu a escada coberta. Não ouviu os pés roçarem os degraus largos de fora, nem o relógio do tribunal marcando laboriosamente duas e meia, nem sentiu o ar úmido do andar térreo.

O brilho do sol feriu seus olhos e ela levou as mãos ao rosto. Quando as baixou lentamente, para que os olhos se adaptassem à claridade, viu Maycomb completamente deserta, tremeluzindo na tarde escaldante.

Desceu a escada e ficou à sombra de um carvalho. Esticou o braço e apoiou-se no tronco. Olhou para Maycomb e sentiu um aperto na garganta: Maycomb estava olhando de volta para ela.

"Vá embora", diziam os velhos prédios. "Não tem lugar para você aqui. Ninguém quer você aqui. Temos segredos."

Obedecendo às vozes, seguiu pela rua principal em meio ao calor silencioso, em direção a Montgomery. Continuou andando, passou por casas com grandes jardins pelos quais se moviam senhoras aficionadas por jardinagem e homens grandes e lentos. Teve a impressão de ouvir a sra. Wheeler gritar para a srta. Maudie Atkinson do outro lado da rua e, se a srta. Maudie a visse, a convidaria para entrar e comer um bolo: "Acabo de fazer um grande para o seu pai e um pequeno para você." Contou as rachaduras na calçada e se preparou para o ataque da sra. Henry LaFayette Dubose ("Não me venha com olá, Jean Louise Finch. Diga 'boa tarde'!"); passou rapidamente pela velha casa de teto afunilado e pela residência da srta. Rachel e chegou em casa.

SORVETE CASEIRO.

Piscou várias vezes. "Estou ficando louca", pensou.

Tentou continuar andando, mas era tarde demais. A sorveteria, uma construção baixa, quadrada e moderna que ocupava o lugar de sua antiga casa estava aberta e um homem a olhava da janela. Procurou nos bolsos da calça e achou uma moeda.

— Pode me dar uma casquinha de baunilha, por favor?

— O sorvete não vem mais na casquinha. Posso colocar em um...

— Tudo bem. Pode me dar como quer que ele venha — ela disse ao homem.

— Você é Jean Louise Finch, não é? — perguntou ele.

— Sou.

— Morava aqui, não é?

— É.

— Na verdade, nasceu aqui nesta casa, não foi?

— Foi.

— Está morando em Nova York, não está?

— Estou.

— Maycomb mudou, não acha?

— Mudou.

— Não se lembra de mim?

— Não.

— Bom, pois não vou dizer. Sente-se ali, tome o seu sorvete e tente se lembrar; se conseguir, ganha outro de graça.

— Obrigada, senhor. Posso ir até os fundos...?

— Claro. Lá tem mesas e cadeiras. À noite, as pessoas se sentam lá para tomar sorvete.

O quintal estava coberto de cascalho branco. "Como parece pequeno sem a casa, sem a garagem, sem os cinamomos", ela pensou. Sentou-se em uma cadeira e colocou o sorvete sobre a mesa. "Preciso pensar."

Tudo tinha acontecido tão rápido que ela ainda estava com o estômago embrulhado. Respirou fundo para se acalmar, mas não adiantou. Sentiu que estava ficando nauseada outra vez e baixou a cabeça; por mais que tentasse, não conseguia pensar, só sabia de uma coisa, que era a seguinte: o único ser humano no qual ela confiava completamente, com toda a sua alma, a decepcionara. O único homem para o qual podia apontar e dizer, com certeza absoluta, "É um cavalheiro. É um cavalheiro de coração", a tinha traído pública, completa e descaradamente.

9

Integridade, humor e paciência eram as três palavras que melhor definiam Atticus Finch. Havia também uma frase definidora: quem perguntasse a qualquer pessoa do condado Maycomb e arredores o que achava dele, provavelmente teria como resposta: "É o melhor amigo que já tive."

O segredo de vida de Atticus Finch era tão simples que por isso resultava profundamente complexo: enquanto a maioria dos homens tentava estar à altura dos códigos de conduta que escolhia, Atticus seguia o dele ao pé da letra sem alarde, sem ostentação e sem questionamentos existenciais. Era a mesma pessoa em casa e fora dela. Seu código de conduta era a ética simples do Novo Testamento, e a recompensa eram o respeito e o afeto de todos que o conheciam. Era estimado até pelos inimigos, pois jamais os considerava como tal. Nunca tinha sido um homem rico, mas era a pessoa mais rica que os filhos conheciam.

Seus filhos sabiam de coisas que filhos não costumam saber: quando Atticus estava na Assembleia Legislativa, conheceu uma moça de Montgomery quinze anos mais jovem que ele, apaixonou-se e casou-se com ela. Foram morar em Maycomb, onde se instalaram em uma casa na principal rua da cidade. O primeiro filho nasceu quando Atticus tinha quarenta e dois anos e recebeu o nome de Jeremy Atticus, em homenagem ao pai e ao avô paterno. Quatro anos depois, tiveram uma filha, batizada de Jean Louise, em homenagem à mãe e à avó materna. Dois anos depois, Atticus chegou do trabalho uma tarde e encontrou a mulher morta no chão da varanda da frente, ocultada da vista atrás da glicínia trepadeira que fazia daquele canto um lugar fresco e aconchegante. Tinha morrido pouco antes, pois a cadeira de balanço de onde caiu ainda estava se movendo. Jean Graham Finch tinha levado para a família o coração que, vinte e dois anos depois, mataria também seu filho, na calçada em frente ao escritório do pai.

Aos quarenta e oito anos de idade, Atticus foi deixado com dois filhos pequenos e uma cozinheira negra chamada Calpúrnia. É pouco provável que tenha tentado entender por quê. Limitou-se a criar os filhos da melhor maneira possível, e a julgar pelo afeto que tinham por ele, seu melhor era realmente bom: nunca estava cansado demais para brincar de bobinho; nem ocupado demais para inventar histórias maravilhosas; nem absorto demais nos próprios problemas para ouvir atentamente uma queixa. Toda noite, lia para eles até ficar rouco.

Ao ler para os filhos, Atticus matava dois coelhos com uma cajadada só, e provavelmente teria deixado um psicólogo infantil perplexo: lia para Jem e Jean Louise o que quer que estivesse lendo, e eles cresceram possuindo uma estranha erudição. Tiveram assim o primeiro contato com história militar, projetos de lei, histórias de detetive, o Código Penal do Alabama, a Bíblia, a antologia de poetas ingleses de Palgrave.

Jem e Jean Louise costumavam acompanhar o pai a quase todo canto. Ele os levava a Montgomery se houvesse sessão na Assembleia durante o verão, a jogos de futebol americano, a reuniões políticas, à igreja e ao escritório à noite, se tivesse de trabalhar até tarde. Depois do anoitecer, Atticus raramente era visto em público sem os filhos a tiracolo.

Jean Louise não conheceu a mãe, nem nunca soube o que era mãe, mas raramente sentia falta de uma. Desde pequena, o pai nunca teve problemas para entendê-la, nem vacilou uma vez que fosse, a não ser quando, aos onze anos, Jean Louise chegou da escola para o almoço e descobriu que tinha ficado menstruada.

Pensou que estivesse morrendo e começou a gritar. Calpúrnia, Atticus e Jem acudiram correndo e, quando Atticus e Jem viram qual era o problema, olharam sem saber o que fazer para Calpúrnia, que cuidou de tudo.

Jean Louise nunca tinha tido plena consciência de que era uma menina; sua vida tinha sido sempre repleta de atividades temerárias e abrutalhadas: lutava, jogava futebol, subia em árvores, competia com Jem e vencia qualquer um da mesma idade em brincadeiras que exigissem destreza física.

Quando conseguiu se acalmar o suficiente para ouvir o que Calpúrnia tinha a dizer, concluiu que estava sendo vítima de uma brincadeira cruel. Teria de entrar em um universo feminino que detestava, não compreendia e do qual não sabia como se defender, um mundo que não a queria.

Jem se afastou dela quando tinha dezesseis anos. Começou a molhar os cabelos e penteá-los para trás e também a sair com meninas, e Atticus passou a ser o único amigo dela. Até que o dr. Finch voltou para Maycomb.

Os dois homens, já entrados em anos, a acompanharam em suas horas mais solitárias e difíceis, na difícil passagem de menina moleca à jovem mulher. Atticus tirou de suas mãos o rifle de ar comprimido e o substituiu por um taco de golfe e o dr. Finch ensinou a ela... O Dr. Finch ensinou a ela as coisas que mais interessavam a ele próprio. Ela fingiu aceitar sua nova condição; fingiu respeitar as normas que regulavam o comportamento de meninas adolescentes de boa família, passou a demonstrar algum interesse por roupas, rapazes, penteados, fofocas e aspirações femininas, mas ficava pouco à vontade toda vez que se afastava da segurança das pessoas que a amavam.

Atticus a enviou para uma escola de moças na Geórgia e, quando ela terminou os estudos, disse que já estava na hora de ser dona do próprio nariz e sugeriu que fosse morar em Nova York ou em algum outro lugar. Ela ficou vagamente ofendida, como se estivesse sendo expulsa da própria casa, mas, com o passar dos anos, reconheceu o valor da sabedoria do pai: ele estava ficando velho e queria morrer sabendo que a filha era capaz de se virar sozinha.

Ela não estava sozinha, mas apoiada na força moral mais poderosa de sua vida, o amor do pai. Jamais duvidava desse amor, jamais pensava nele, nem sequer se dava conta de que, antes de tomar qualquer decisão importante, se perguntava inconscientemente, como um reflexo: "O que Atticus faria?" Não se dava conta de que, quando pisava firme e não arredava pé, era por causa do pai; de que tudo o que tinha de bom e decente em seu caráter se devia a ele. Não sabia que o idolatrava.

Só sabia que lastimava pelas pessoas da idade dela que afrontavam os pais por não terem lhes dado isso ou terem lhes tirado aquilo. Compadecia-se das senhoras de meia-idade que, depois de muita análise, descobriam que a origem de todas as angústias estava dentro de casa; tinha pena dos que se referiam ao pai como "meu velho", dando a entender que se tratava de um inepto, uma criatura inútil e provavelmente alcoolizada, que em algum momento da vida tinha desapontado os filhos de uma maneira terrível e imperdoável.

Era generosa com sua compaixão e complacente em seu mundo confortável e seguro.

10

Jean Louise levantou-se da cadeira de jardim na qual estava sentada, foi até um canto do terreno e vomitou o almoço de domingo. Seus dedos agarraram a cerca de arame que separava o jardim da srta. Rachel do quintal dos Finch. Se Dill estivesse lá, pularia a cerca, faria com que ela baixasse a cabeça, daria um beijo nela e seguraria sua mão; e juntos enfrentariam a tempestade sempre que houvesse algum problema em casa. Mas já fazia muito tempo que Dill não estava ao seu lado.

A ânsia voltou com violência redobrada quando se lembrou da cena no tribunal, mas não tinha mais nada no estômago.

"Se você tivesse cuspido na minha cara..."

Podia ser, devia ser, sem dúvida era um terrível equívoco. A mente dela se recusava a aceitar o que seus olhos e ouvidos tinham registrado. Sentou-se outra vez na cadeira e ficou olhando a poça de sorvete de baunilha derretido que avançava lentamente para a beira da mesa. O sorvete derretido se espalhou, se deteve, gotejou e pingou. Pingou, pingou, pingou até que o cascalho branco, saturado, não pôde mais absorvê-lo e outra poça se formou.

"Foi você. É tão certo quanto o fato de que estava sentado lá."

— Já se lembrou do meu nome? Ah, olha só, não tomou seu sorvete.

Ela levantou a cabeça. O homem estava na janela de trás da sorveteria, a menos de um metro e meio dela. Sumiu e apareceu de novo com um pano limpo. Enquanto limpava a mesa, ele disse:

— Como me chamo?

"Rumpelstichen."

— Ah, desculpe. — Ela olhou bem para ele e perguntou: — Você é um dos Coningham com "o"?

O homem abriu um largo sorriso.

— Quase. Sou um Cunningham, com "u". Como adivinhou?

— Você parece da família. Por que não mora no bosque?

— Minha mãe me deixou de herança um pouco de madeira de corte; vendi e abri esta sorveteria.

— Que horas são? — ela perguntou.

— Quase quatro e meia — respondeu o sr. Cunningham.

Ela se levantou, se despediu com um sorriso e prometeu voltar logo. Foi andando em direção à calçada. "Duas horas inteiras e não sabia onde estava. Estou tão cansada."

Voltou para casa sem passar pela cidade. Deu uma longa volta, passando pelo pátio de uma escola, por uma rua flanqueada por nogueiras, pelo pátio de outra escola e por um campo de futebol americano onde uma vez Jem, distraído, tinha cometido falta contra um jogador do mesmo time. "Estou tão cansada."

Alexandra estava em pé na porta de casa. Afastou-se para Jean Louise passar.

— Onde você estava? Jack ligou horas atrás perguntando por você. Foi visitar alguém que não é da família vestida assim?

— Eu... não sei.

— Como assim não sabe? Jean Louise, pare de dizer coisas sem sentido e ligue para o seu tio.

Exausta, ela foi até o telefone e pediu à telefonista:

— Um, um, nove.

Ouviu a voz do dr. Finch:

— Aqui é o dr. Finch.

— Sinto muito — ela disse baixinho. — Nos vemos amanhã?

— Combinado — respondeu o tio.

Estava cansada demais para achar graça no jeito do tio ao telefone; ele detestava profundamente esses aparelhos, de forma que suas falas eram compostas no máximo por monossílabos.

Quando se virou, Alexandra perguntou:

— Você parece fraca. O que aconteceu?

"Senhora, meu pai me deixou me debatendo como um peixe na maré baixa e você pergunta o que houve?"

— É o estômago — respondeu ela.

— Tem muita gente com problema de estômago ultimamente. Está doendo?

"Está. Demais. Dói tanto que não consigo suportar."

— Não, tia, é só um mal-estar.

— Então por que não toma um sal de fruta, um Alka-Seltzer?

Jean Louise disse que ia tomar, e Alexandra entendeu o que tinha acontecido:

— Jean Louise, você foi à reunião, com todos aqueles homens lá?

— Fui, sim, senhora.

— Vestida assim?

— Sim, senhora.

— Onde se sentou?

— Na galeria. Eles não me viram. Fiquei assistindo da galeria. Tia, quando Hank aparecer hoje à noite, diga que estou... indisposta.

— Indisposta?

Não aguentava ficar ali nem mais um minuto.

— É, tia. Vou fazer o que toda virgem sulista branca e cristã faz quando está indisposta.

— O que é?

— Vou para a cama.

Jean Louise foi para o quarto, fechou a porta, desabotoou a blusa, tirou a calça comprida e jogou-se na cama de ferro forjado que tinha sido da mãe. Tateou até achar um travesseiro e colocou-o sob a cabeça. Em um minuto estava dormindo.

Se estivesse em condições de pensar, poderia ter evitado os acontecimentos futuros, ao considerá-los uma história recorrente tão antiga quanto o próprio tempo: o capítulo que dizia respeito a ela tinha começado duzentos anos antes e tinha como cenário uma sociedade orgulhosa que nem a guerra mais sangrenta nem a paz mais draconiana da história moderna tinham conseguido destruir, e que voltava a se repetir no âmbito privado, no ocaso de uma civilização que nem a guerra nem a paz poderiam salvar.

Se fosse mais perspicaz, se tivesse sido capaz de romper as barreiras de seu mundo insular e altamente seletivo, talvez tivesse descoberto que tivera desde sempre um defeito de visão que passara despercebido a ela e aos mais próximos: era incapaz de distinguir as cores.

QUARTA PARTE

11

Houve uma época, muito tempo antes, em que o único momento tranquilo de sua existência era o instante entre abrir os olhos de manhã e despertar completamente, uma questão de segundos até que, finalmente acordada, adentrava o pesadelo do dia.

Estava no sexto ano da escola, memorável pelo que aprendeu dentro e fora de sala de aula. Naquele ano, o pequeno grupo de crianças de Maycomb foi invadido temporariamente por um bando de alunos mais velhos vindos de Old Sarum, porque alguém tinha posto fogo na escola de lá. O aluno mais velho da turma da srta. Blunt tinha quase dezenove anos, e havia mais três garotos da mesma idade. Havia também várias garotas de dezesseis anos, criaturas voluptuosas e alegres para quem a escola era uma espécie de férias da tarefa de colher algodão e dar comida aos animais. A srta. Blunt não ficava atrás: era tão alta quanto o garoto mais alto da turma e tinha o dobro do tamanho.

Jean Louise gostou logo dos recém-chegados de Old Sarum. Depois de monopolizar a atenção de toda a classe ao incluir deliberadamente Gaston B. Means em uma discussão sobre os recursos naturais da África do Sul e demonstrar sua habilidade com uma atiradeira feita de elástico durante o recreio, ganhou a confiança da turma de Old Sarum.

Com uma delicadeza rude, os garotos mais velhos a ensinaram a jogar dados e a mascar tabaco. As meninas mais velhas passavam a maior parte do tempo rindo e tapando a boca com a mão e cochichavam muito, mas Jean Louise as considerava úteis na hora de formar o time de vôlei. No fim das contas, aquele estava se tornando um ótimo ano.

Ótimo até um dia em que chegou em casa para almoçar. Não voltou para a escola naquela tarde; em vez disso, ficou deitada na cama, chorando de raiva e tentando entender a terrível notícia que Calpúrnia tinha lhe dado.

No dia seguinte, foi para a escola caminhando com muita dignidade, não com orgulho, mas constrangida por ter de usar certos acessórios até então desconhecidos. Tinha certeza de que todos sabiam o que estava acontecendo e não paravam de olhar para ela, mas, ao mesmo tempo, continuava intrigada por nunca ter ouvido falar naquilo na vida. "Vai ver que ninguém sabe nada sobre isso", pensou. Se era assim, tinha uma novidade para contar.

No recreio, quando George Hill a chamou para brincar de "gordura quente na cozinha", ela negou com a cabeça.

— Não posso mais fazer nada — explicou, e, sentada na escada, ficou olhando os meninos caírem no chão. — Não posso nem andar.

A certa altura, quando não podia suportar mais, foi se juntar ao grupo de meninas reunidas embaixo do carvalho em um canto do pátio.

Ada Belle Stevens riu e abriu espaço para ela se sentar no comprido banco de cimento.

— Por que não está brincando? — perguntou ela.

— Não quero — respondeu Jean Louise.

Ada Belle estreitou levemente os olhos e franziu as sobrancelhas louras.

— Aposto que sei qual é o seu problema.

— Qual é?

— Está com a maldição.

— Com o quê?

— A maldição. A maldição de Eva. Se ela não tivesse comido a maçã, não teríamos isso. Está se sentindo mal?

— Não — respondeu Jean Louise, maldizendo Eva em pensamento.

— Mas como você sabe?

— Porque você anda como se estivesse montada em uma égua baia — respondeu Ada Belle. — Você vai se acostumar. Eu já tenho há anos.

— Nunca vou me acostumar.

Era difícil. Quando se via obrigada a limitar as atividades, Jean Louise se conformava em fazer pequenas apostas atrás de uma pilha de carvão nos fundos da escola. O perigo inerente da brincadeira a atraía muito mais do que o jogo em si; não era boa o suficiente em matemática para se importar se ganhava ou perdia, não tinha prazer verdadeiro em desafiar a lei das probabilidades, mas sim em enganar a srta. Blunt. Seus companheiros eram os garotos mais preguiçosos de Old Sarum, o pior dos quais era Albert Coningham, que tinha o raciocínio lento e a quem Jean Louise deu uma inestimável ajuda nas provas bimestrais.

Um dia, quando tocou o sinal anunciando o fim do recreio, Albert, batendo a poeira de carvão pediu:

— Espera um instante, Jean Louise.

Ela esperou. Quando ficaram a sós, Albert disse:

— Quero contar que tirei uma nota boa na prova de geografia.

— Que bom, Albert — respondeu ela.

— Eu só queria agradecer.

— De nada, Albert.

Albert corou até a raiz dos cabelos, agarrou-a e lhe deu um beijo. Ela sentiu a língua morna e úmida dele na boca e recuou. Nunca tinha sido beijada daquele jeito. Albert soltou-a e foi arrastando os pés até o prédio da escola. Jean Louise foi atrás, confusa e um pouco aborrecida.

Só permitia que os parentes a beijassem no rosto, e mesmo nesses casos, depois limpava o lugar do beijo disfarçadamente. Atticus costumava dar-lhe um beijo de leve onde quer que acertasse, e Jem jamais a beijava. Achou que Albert tinha calculado mal e logo depois esqueceu o ocorrido.

No correr do ano, volta e meia ia se sentar com as meninas embaixo da árvore na hora do recreio. Ficava sentada no meio delas, resignada com o próprio destino, olhando os meninos jogarem os jogos da temporada no pátio. Um dia que chegou tarde para o recreio, encontrou as meninas dando risinhos mais disfarçados do que de hábito e perguntou o motivo.

— É a Francine Owen — respondeu uma delas.

— Francine Owen? Mas faz dias que ela não vem à escola — observou Jean Louise.

— Sabe por quê? — disse Ada Belle.

— Não.

— Por causa da irmã dela. A assistente social levou as duas.

Jean Louise deu uma cutucada em Ada Belle, que abriu espaço para ela se sentar no banco.

— O que aconteceu com ela?

— Está grávida. Sabe de quem? Do pai.

— O que é estar grávida? — perguntou Jean Louise.

Um murmúrio percorreu o grupo de meninas.

— Quer dizer que ela vai ter um bebê, boba — respondeu uma delas.

Jean Louise assimilou a informação e perguntou:

— Mas o que o pai dela tem a ver com isso?

Ada Belle suspirou.

— O pai dela é o pai do bebê.

Jean Louise riu.

— Peraí, Ada Belle...

— É isso mesmo, Jean Louise. E aposto que a Francine só não está grávida também por que ainda não começou.

— Começou o quê?

— A menstruar — respondeu Ada Belle com impaciência. — Aposto que o pai fez com as duas filhas.

— Fez o quê? — Jean Louise estava totalmente confusa.

As meninas deram gritinhos.

— Você não sabe de nada, Jean Louise Finch. Primeiro, você fica... e se faz isso depois, depois de começar, com certeza vai ter um bebê.

— Faz *o que*, Ada Belle?

Ada Belle olhou para a roda de meninas e piscou.

— Bom, primeiro você precisa de um garoto. Depois, ele dá um abraço apertado, fica respirando forte e dá um beijo de língua em você. É quando ele beija, abre a boca e enfia a língua dentro da sua boca...

Um zunido no ouvido de Jean Louise impediu que ela ouvisse o resto do relato de Ada Belle. Sentiu o sangue sumir do rosto. As palmas das mãos ficaram úmidas e ela tentou engolir em seco. Não podia sair dali. Se saísse, as outras iam saber. Levantou-se e tentou sorrir, mas os lábios tremiam. Fechou bem a boca e trincou os dentes.

— ... e é isso. O que foi, Jean Louise? Está branca feito um fantasma. Eu não assustei você, não é? — Ada Belle sorriu, maliciosa.

— Não — respondeu Jean Louise. — É que não estou me sentindo muito bem. Vou entrar.

Rezou para ninguém notar que seus joelhos estavam tremendo enquanto atravessava o pátio. Foi até o banheiro feminino e vomitou na pia.

Não havia dúvida, Albert tinha enfiado a língua em sua boca. Ela estava grávida.

Os conhecimentos que Jean Louise tinha até então sobre a moral e os costumes dos adultos eram parcos mas suficientes: sabia que era possível ter um filho sem ser casada. Até aquele dia, porém, não sabia nem queria saber como isso se dava, já que o tema não lhe despertava o menor interesse. Tinha consciência, no entanto, de que se uma mulher tivesse um filho sem estar casada sua família era atirada na mais profunda desgraça. Tinha ouvido tia Alexandra falar exaustivamente sobre essa desgraça familiar, que implicava a moça ser mandada para um lar em Mobile, longe das pessoas direitas. E a família nunca mais andava de cabeça erguida. Algo assim tinha acontecido uma vez na sua rua, no caminho de Montgomery, e as senhoras da outra ponta da rua cochicharam e tagarelaram sobre isso durante semanas.

Teve raiva de si mesma, raiva de todo mundo. Não tinha feito mal a ninguém. Foi dominada pela injustiça da situação: não quis fazer nada errado.

Saiu às escondidas da escola, dobrou a esquina de casa, entrou furtivamente no quintal, subiu no cinamomo e ficou sentada lá até a hora do almoço.

O almoço foi longo e silencioso. Mal tomou conhecimento da presença de Jem e Atticus à mesa. Depois do almoço, voltou para a árvore e ficou lá até o anoitecer, quando ouviu Atticus chamá-la.

— Desça daí — disse ele.

Ela estava mal demais para reagir à frieza da voz dele.

— A srta. Blunt ligou e disse que você saiu da escola no recreio e não voltou. Onde estava?

— Aqui na árvore.

— Está doente? Você sabe que se estiver doente tem de falar imediatamente com a Cal.

— Não, senhor.

— Então, se não está doente, o que tem a dizer para explicar seu comportamento? Tem alguma justificativa?

— Não, senhor.

— Bem, fique sabendo de uma coisa: se fizer isso de novo, vai ficar muito encrencada.

— Sim, senhor.

Esteve a ponto de contar tudo, de descarregar aquele peso sobre ele, mas ficou calada.

— Tem certeza de que está bem?

— Sim, senhor.

— Então venha para casa.

Na mesa do jantar, ela teve vontade de jogar o prato cheio de comida em Jem, um ser superior de quinze anos, que conversava com o pai como um adulto. De tempos em tempos, Jem lançava olhares desdenhosos para ela. "Vou revidar, não se preocupe", ela prometeu. "Só não posso fazer isso agora."

Todos os dias, acordava cheia de energia e boas intenções, e todos os dias voltava a assaltá-la aquele pavor surdo; todas as manhãs procurava indícios do bebê. Durante o dia, a ideia nunca se afastava muito do seu pensamento, surgindo de vez em quando, nos momentos mais inesperados, sussurrando em seu ouvido e atormentando-a.

Procurou no dicionário a palavra "bebê" e achou pouca coisa; procurou "nascimento" e achou menos ainda. Encontrou um velho livro na casa intitulado *Demônios, drogas e médicos* e foi tomada por um desespero mudo ao ver ilustrações de cadeiras medievais e instrumentos usados nos partos e ao ler que as mulheres às vezes eram atiradas repetidamente contra a parede a fim de induzir o trabalho de parto. Aos poucos, conseguiu algumas informações com as colegas na escola, tomando o cuidado de espaçar as perguntas, deixando passar semanas entre uma e outra, para ninguém desconfiar.

Evitava Calpúrnia o máximo que podia, pois achava que tinha mentido para ela. Cal tinha dito que todas as meninas ficavam menstruadas, que era tão natural quanto respirar, que era um sinal de que estavam crescendo e que iam ter aquilo até os cinquenta anos. Na época, Jean Louise tinha ficado tão desesperada ao pensar que, quando aquilo acabasse, estaria velha demais para aproveitar qualquer coisa que não quis explorar mais o assunto. Cal não tinha dito nada sobre bebês e beijos de língua.

Por fim, sondou Calpúrnia usando a família Owen como desculpa, mas Cal disse que não queria falar sobre o sr. Owen porque ele não era digno de se relacionar com seres humanos. Ia ficar na cadeia muito tempo. Sim, a irmã de Francine tinha sido mandada para Mobile, coitadinha, e Francine estava no Orfanato Batista no condado Abbott. Jean Louise não devia ficar pensando naquela gente. Calpúrnia foi ficando irritada e Jean Louise deixou o assunto de lado.

Quando descobriu que o bebê levaria nove meses para nascer, sentiu-se como um criminoso cuja pena foi comutada. Contava as semanas marcando-as em um calendário, mas se esqueceu de levar em conta que já tinham se passado quatro meses quando começou a fazer seus cálculos. Quando a data se aproximou, começou a passar os dias em pânico, com medo de acordar e encontrar o bebê na cama, ao lado dela. Eles cresciam na barriga, disso tinha certeza.

A ideia já estava rondando sua cabeça havia um bom tempo, mas a rejeitava instintivamente: a possibilidade de separar-se para sempre da família era insuportável, mas sabia que chegaria o dia em que não poderia mais adiar nem esconder. Embora o relacionamento com Atticus e Jem tivesse atingido o ponto mais baixo ("Você tem andando muito distraída, Jean Louise", o pai tinha dito. "Não consegue se concentrar em nada por cinco minutos?"), a hipótese de viver sem eles, por melhor que fosse o paraíso, era intolerável. Mas ser mandada para Mobile e humilhar a família para sempre era pior ainda: não desejava isso nem para tia Alexandra.

Pelos seus cálculos, o bebê nasceria em outubro, e no dia trinta de setembro ela se mataria.

O outono demora a chegar no Alabama. No Dia das Bruxas ainda é possível guardar as cadeiras da varanda sem necessidade de se agasalhar muito. O anoitecer é mais longo, mas a escuridão vem de repente, o céu passa de um alaranjado opaco a um azul-escuro antes que se consiga dar cinco passos, e quando a luz do dia leva embora o último raio de calor, começa a esfriar.

O outono era sua estação favorita. Havia uma expectativa em relação a seus sons e suas formas: os baques surdos e distantes da bola de couro e de corpos jovens no campo de treino perto de sua casa faziam com que ela pensasse em bandas e Coca-Cola gelada, amendoim torrado e a respiração das pessoas fazendo pequenas nuvens no ar. Havia expectativas até mesmo em relação ao início das aulas — a renovação das antigas rixas e amizades, as semanas de revisão, aprendendo de novo o que tinha ficado meio esquecido durante o longo verão. O outono era época dos jantares quentes, quando se podia comer tudo o que se tinha deixado de comer de manhã por ainda estar muito sonolento. Seu mundo estaria no seu melhor momento quando chegasse a hora de deixá-lo.

Tinha doze anos e cursava o sétimo ano da escola. Sua capacidade de apreciar o fato de ter saído do primário era muito limitada; não gostava de ter de mudar de sala de aula durante o dia nem de ter vários professores, nem de saber que, em alguma turma remota do secundário, seu irmão tinha se transformado em um herói. Atticus estava na Assembleia, em Montgomery, e daria no mesmo se Jem tivesse ido junto, pelas vezes que o via.

No dia 30 de setembro, ela foi à escola e não aprendeu nada. Depois das aulas, foi para a biblioteca e ficou lá até o zelador aparecer e mandá-la embora. Foi andando até a cidade devagar para aproveitar bastante. A luz do dia estava se desvanecendo quando ela atravessou o caminho da velha serraria até a sorveteria. Theodore, o entregador de gelo, cumprimentou-a ao passar; ela continuou andando e olhou para trás, observando-o até ele entrar na loja.

O reservatório de água da cidade ficava em um terreno ao lado da sorveteria. Era a construção mais alta que ela já tinha visto, com uma escadinha que ia do chão até uma pequena plataforma que rodeava o depósito.

Ela jogou os livros no chão e começou a subir. Quando chegou mais alto do que os cinamomos do quintal de sua casa, olhou para baixo, ficou tonta e olhou para cima o resto da subida.

Maycomb inteira estava lá embaixo. Teve a impressão de que podia ver sua casa: Calpúrnia devia estar fazendo biscoitos e dali a pouco Jem chegaria do treino de futebol americano. Olhou para o outro lado da praça e teve certeza de que viu Henry Clinton sair da Jitney Jungle com os braços carregados de compras, que colocou no banco de trás de um carro. De repente, todas as luzes da cidade se acenderam de uma vez e ela sorriu com súbito deleite.

Sentou-se na estreita plataforma do reservatório e ficou com os pés pendurados. Deixou cair um sapato, depois o outro. Perguntou-se como seria o seu velório: a velha sra. Duff passaria a noite inteira lá e obrigaria as pessoas a assinarem o livro de presença. Será que Jem ia chorar? Se chorasse, seria a primeira vez.

Não sabia se devia se jogar de cabeça ou escorregar pela beirada. Se caísse de costas talvez não doesse tanto. Ficou pensando se um dia saberiam quanto ela os amava.

Alguém a agarrou. Enrijeceu quando sentiu mãos apertando seus braços nas laterais do corpo. Eram as mãos de Henry, manchadas pelo verde das hortaliças. Sem dizer nada, levantou-a e obrigou-a a descer a íngreme escadinha.

Quando chegaram ao chão, Henry puxou os cabelos dela.

— Juro por Deus que desta vez vou contar para o sr. Finch! — berrou. — Juro, Scout! Perdeu completamente o juízo? Como pode brincar nesse reservatório? Podia ter morrido!

Puxou os cabelos dela de novo, arrancando alguns fios. Sacudiu-a; desamarrou o avental branco que usava, fez uma maçaroca com ele e jogou-o no chão, irritado.

— Não sabe que podia morrer? Perdeu o juízo?

Jean Louise ficou olhando, paralisada.

— Theodore viu você subir de longe, correu para avisar o sr. Finch, mas não o encontrou, então foi me chamar. Meu Deus...!

Quando viu que Jean Louise estava tremendo, se deu conta de que ela não estava brincando. Segurou-a suavemente pela nuca e, enquanto caminhavam até a casa dela, tentou saber qual era o problema, mas ela não disse nada. Deixou-a na sala e foi para a cozinha.

— Querida, o que você andou fazendo?

Quando falava com ela, o tom de Calpúrnia era sempre um misto de afeto relutante e leve censura.

— Sr. Hank, é melhor voltar para a mercearia. O sr. Fred deve estar se perguntando onde o senhor se meteu.

Mastigando resolutamente um graveto de âmbar, Calpúrnia olhou para Jean Louise.

— O que estava aprontando? Por que estava no reservatório?

Jean Louise ficou imóvel.

— Se me disser, não conto para o sr. Finch. Por que está tão aborrecida, querida?

Calpúrnia sentou-se ao lado dela. Já passava da meia-idade e tinha engordado um pouco, a carapinha estava ficando grisalha e apertava os olhos por causa da miopia. Colocou as mãos no colo e olhou-as com atenção.

— Não tem nada tão grave neste mundo que você não possa contar — disse.

Jean Louise atirou-se no colo dela. Sentiu mãos ásperas acariciando seus ombros e suas costas.

— Vou ter um filho! — disse, soluçando.

— Quando?

— Amanhã!

Calpúrnia levantou-a e enxugou o rosto dela com a ponta do avental.

— Pelo amor de Deus, de onde tirou essa ideia?

Em meio a soluços, Jean Louise contou sua desgraça sem esconder nada, implorando para não ser mandada para Mobile, esticada nem atirada contra uma parede.

— Posso ficar na sua casa? Por favor, Cal.

Ela implorou para que Calpúrnia a ajudasse em segredo e, quando o bebê nascesse, podiam levá-lo embora à noite.

— Ficou todo esse tempo carregando isso? Por que não disse nada?

Sentiu o braço pesado de Calpúrnia em volta dela, consolando-a quando não havia consolo. Ouviu-a resmungar:

— ... não têm nada que encher a sua cabeça com essas coisas... se eu pudesse botar as mãos nelas, matava...

— Cal, você vai me ajudar, não vai? — ela perguntou, insegura.

— Tão certo quanto o bom Jesus nasceu, querida. Enfie uma coisa na sua cabeça já: você não está grávida, nem nunca esteve. Não é assim.

— Bom, se não estou grávida, então, o que está acontecendo comigo?

— Mesmo lendo tanto livro, você é a menina mais ignorante que já vi. — A voz dela baixou um pouco — Mas acho que nunca teve chance de aprender.

Vagarosamente e medindo as palavras, Calpúrnia contou a versão simples. Enquanto ouvia, a coleção de informações revoltantes acumuladas durante o ano tomou uma forma nova e cristalina. À medida que a voz rouca de Calpúrnia apagava os medos acumulados no último ano, Jean Louise sentiu a vida voltar. Respirou fundo e sentiu na garganta o frescor do outono. Ouviu o chiar das salsichas na cozinha, viu a coleção de revistas de esporte do irmão na mesa da sala, sentiu o cheiro agridoce do cabelo de Calpúrnia.

— Cal, por que eu não sabia de nada disso até agora?

Calpúrnia franziu o cenho e procurou uma resposta.

— Você está um pouco atrasada, srta. Scout. Cresceu rápido demais... Se tivesse sido criada em uma fazenda, teria aprendido essas coisas antes de saber andar, ou se tivesse mulheres por perto... Se a sua mãe fosse viva, você saberia...

— Minha mãe?

— É. Ia ver coisas, como o seu pai beijando a sua mãe, e aposto que ia fazer perguntas assim que aprendesse a falar.

— Eles faziam tudo aquilo?

Calpúrnia deu uma risada que deixou à mostra as coroas de ouro dos molares.

— Minha menina, como acha que veio parar aqui? Claro que eles faziam.

— Pois eu não acredito.

— Querida, você vai ter que crescer mais um pouco para entender, mas seu pai e sua mãe se amavam muito e, quando a pessoa ama assim, srta. Scout, é isso que quer fazer. É o que todo mundo quer fazer quando ama desse jeito. Quer casar, beijar, abraçar e tudo mais e ter bebês.

— Acho que a tia e o tio Jimmy não fazem essas coisas.

Calpúrnia mexeu no avental.

— Dona Scout, as pessoas são muito diferentes e se casam por vários motivos. Acho que a dona Alexandra se casou para ter a casa dela. — Calpúrnia coçou a cabeça. — Mas não precisa se preocupar com isso, não é da sua conta. Cuide da sua vida antes de ficar se preocupando com a dos outros. — Ela se levantou. — Agora você não tem que ficar dando importância para o que aquela gente de Old Sarum fala... Não é para discutir com eles, é só não dar atenção... E se quiser saber alguma coisa, fale com a velha Cal.

— Então por que não me contou tudo isso antes?

— Porque com você as coisas começaram um pouco antes do tempo e parecia que você não estava gostando muito, então achamos que não ia gostar também de todo o resto. O sr. Finch disse para esperarmos você se acostumar com a ideia, mas não pensamos que fosse descobrir tão rápido e tão errado, srta. Scout.

Jean Louise se espreguiçou e bocejou com prazer, deliciando-se com a própria existência. Estava ficando com sono e achava que não ia conseguir ficar acordada até o jantar.

— Hoje vamos ter bolinhos quentes, Cal?

— Sim, senhora.

Ela ouviu a porta da frente bater e Jem entrar com passo firme. Estava indo para a cozinha, onde ia abrir a geladeira e beber quase um litro de leite para matar a sede do treino. Antes de pegar no sono, Jean Louise se deu conta de que pela primeira vez Calpúrnia tinha dito "sim, senhora" e "senhorita Scout", tratamento que costumava dispensar apenas para as pessoas importantes. "Devo estar ficando velha", ela pensou.

Acordou quando Jem acendeu a luz. Ele se aproximou, o grande "M" marrom se destacando no agasalho branco.

— Está acordada, Três Olhinhos?

— Não seja sarcástico — ela respondeu.

Se Henry ou Calpúrnia tivessem contado, ela morria, mas os levava junto.

Olhou bem para o irmão. Os cabelos estavam molhados e ele exalava o cheiro forte do sabonete dos vestiários da escola. "É melhor eu começar", ela pensou.

— Argh, você andou fumando. Dá para sentir a metros de distância — ela disse.

— Fumei coisa nenhuma.

— De qualquer forma, não entendo como você pode ser atacante do time, é magro demais.

Jem sorriu e ignorou a provocação. "Eles contaram", pensou ela. Jem deu pequenos golpes no "M" do agasalho.

— Sou o velho e infalível Finch. Esta tarde, acertei sete de dez jogadas — gabou-se.

Foi até a mesa, pegou uma revista de futebol, folheou-a, procurou alguma coisa, voltou a folheá-la e disse:

— Scout, se acontecer alguma coisa com você ou algo assim... Sabe... Alguma coisa que você não queira contar para Atticus...

— Hein?

— Se tiver algum problema na escola ou algo assim... fale comigo. Eu resolvo.

Jem saiu tranquilamente da sala e Jean Louise ficou de olhos arregalados, pensando se estava acordada mesmo.

12

Foi despertada pela luz do sol. Olhou o relógio de pulso. Cinco da manhã. Alguém tinha colocado uma coberta sobre ela durante a noite. Afastou a colcha, pôs os pés no chão e ficou olhando suas compridas pernas, surpresa ao se dar conta de que eram as pernas de uma mulher de vinte e seis anos. Seus mocassins estavam bem ao lado, onde os tinha tirado doze horas antes. Uma meia estava ao lado dos sapatos, a outra estava no pé. Descalçou-a e foi pisando leve até a penteadeira, onde se olhou no espelho.

Desanimada, olhou para o próprio reflexo e concluiu: "Você teve o que o sr. Burgess chamaria de *acesso de horror*. Céus, há quinze anos não acordo assim. Hoje é segunda-feira, cheguei em casa no sábado, ainda tenho onze dias de férias e acordo péssima." Riu de si mesma: tinha sido realmente o cochilo mais longo da história... Durou mais que a vida de um elefante, mas não serviu para nada.

Pegou um maço de cigarros e três fósforos, enfiou os fósforos no celofane do maço e foi em silêncio até o vestíbulo. Abriu a porta de madeira e em seguida a de tela.

Em outros tempos, teria ficado descalça sobre a grama molhada, ouvindo o primeiro canto dos rouxinóis; pensaria na falta de sentido da austera e silenciosa beleza que se renovava a cada amanhecer sem ser apreciada por metade do mundo. Andaria sob os pinheiros amarelados que se erguiam em direção ao radioso céu do levante, e seus sentidos sucumbiriam à alegria da manhã.

A manhã aguardava para recebê-la, mas ela não viu nem ouviu nada. Tinha dois minutos de paz até se lembrar de novo do dia anterior e nada podia acabar com o prazer do primeiro cigarro da manhã. Jean Louise soprou lentamente a fumaça no ar imóvel.

Pensou no dia anterior com cautela e em seguida recuou. "Não consigo pensar nisso agora, não antes que esteja distante o suficiente. Que estranho, deve ser como uma dor física", pensou. "Dizem que quando a dor fica insuportável, o corpo se defende, você apaga e não sente mais nada. Deus nunca nos dá mais do que conseguimos suportar..."

Era uma antiga frase usada pelas senhoras delicadas de Maycomb quando velavam um defunto, algo supostamente muito consolador para quem estava de luto. Muito bem, seria consolada por isso. Ia passar as duas semanas seguintes em casa, mantendo um cortês distanciamento, sem dizer nada, sem perguntar nada, sem fazer censuras. Faria o que se esperava em tais circunstâncias.

Sentou-se, apoiou os braços nos joelhos e a cabeça nos braços. "Juro por Deus que preferia ter pego vocês dois em uma farra com duas mulheres vulgares... Hum, a grama precisa ser cortada."

Foi até a garagem e levantou a porta de correr. Pegou o cortador de grama, destampou o tanque de gasolina e olhou lá dentro. Colocou a tampa de volta, empurrou uma pequena alavanca, apoiou um dos pés no cortador, firmou o outro na grama e puxou a corda com força. O motor tossiu duas vezes e parou.

"Inferno, afoguei o motor."

Colocou o cortador de grama no sol, voltou à garagem e pegou uma grande tesoura de cortar grama. Foi até o bueiro que havia na entrada da garagem e cortou a grama mais grossa que crescia de ambos os lados. Notou alguma coisa se movendo junto a seus pés, fez uma concha com a mão esquerda e prendeu um grilo. Passou a mão direita por baixo dele e o pegou. O grilo se debateu loucamente contra suas palmas e ela o colocou de volta na grama.

— Ficou fora de casa até muito tarde. Volte para sua mãe — ordenou.

Um caminhão subiu a ladeira e parou na frente dela. Um rapaz negro saltou do estribo e lhe entregou três litros de leite. Ela levou o leite até a escada da frente e, ao voltar para o bueiro, puxou de novo a corda do cortador de grama. Dessa vez, o motor pegou.

Olhou satisfeita a trilha de grama bem cortada atrás dela. A grama cortada cheirava como a margem de um riacho. "O destino da literatura inglesa teria sido muito diferente se o sr. Wordsworth tivesse um cortador de grama", pensou.

Alguma coisa invadiu seu campo visual e ela ergueu o olhar. Alexandra estava de pé na porta da frente, fazendo sinais de venha-aqui-já. "Acho que ela está de cinta. Eu me pergunto se ela consegue se virar na cama à noite."

Alexandra dava poucos sinais disso, levando-se em conta a aparência dela enquanto esperava a sobrinha: os espessos cabelos grisalhos estavam cuidadosamente arrumados, como sempre, e ela não usava maquiagem, o que não fazia nenhuma diferença. "Eu me pergunto se ela já sentiu alguma coisa na vida. Francis certamente a incomodava quando aparecia, mas não sei se ela se emocionou com alguma coisa algum dia."

— Jean Louise! — sibilou Alexandra. — Você está acordando metade da cidade com esse negócio! Já acordou seu pai, e ele não pregou o olho na noite passada. Pare com isso agora mesmo!

Jean Louise desligou o motor e o súbito silêncio rompeu a trégua entre elas.

— Você não devia usar essa máquina desse jeito, descalça. Fink Sewell perdeu três dedos assim e, no outono passado, Atticus matou uma cobra de um metro no nosso quintal. Sinceramente, às vezes você se comporta de uma forma que as pessoas vão pensar que você é uma desmesurada!

Sem querer, Jean Louise riu. Alexandra às vezes trocava uma palavra por outra de som parecido, o que resultava em construções sem sentido e muitas vezes engraçadas, a mais incrível delas a observação sobre a gulodice do filho mais novo de uma família judia de Mobile ao completar treze anos: Alexandra disse que Aaron Stein era o menino mais guloso que ela já tinha visto, comeu quatorze espigas de milho na festa do *bar-místico* dele.

— Por que não trouxe o leite para dentro de casa? Já deve ter coalhado.

— Eu não queria acordar vocês, tia.

— Bom, estamos acordados — ela respondeu, contrariada. — Quer tomar o café da manhã?

— Só café, por favor.

— Preciso que você se arrume e vá à cidade para mim esta manhã. Tem de levar Atticus, que hoje está todo entrevado.

Desejou ter ficado na cama até ele sair de casa, mas seria acordada por ele para levá-lo à cidade de qualquer maneira.

Ela entrou em casa, foi até a cozinha e sentou-se à mesa. Olhou para os grotescos instrumentos que Alexandra tinha colocado junto ao prato dele. Atticus se recusava a aceitar que alguém desse comida a ele; o dr. Finch então resolveu o problema, prendendo o cabo de um garfo, uma faca e uma colher na extremidade de grandes colheres de pau.

— Bom dia.

Jean Louise ouviu o pai entrar na cozinha. Olhou para o prato e respondeu:

— Bom dia, senhor.

— Fiquei sabendo que não estava se sentindo bem. Fui dar uma olhada em você quando cheguei em casa, mas você dormia profundamente. Está se sentido melhor?

— Sim, senhor.

— Não parece.

Atticus pediu a Deus que enchesse o coração deles de gratidão por aquela e por todas as outras bênçãos, pegou o copo e derramou o conteúdo sobre a mesa. O leite escorreu para o colo dele.

— Desculpe. Tem uns dias em que custo a engrenar de manhã.

— Não se mexa, eu limpo. — Jean Louise levantou-se e foi até a pia. Colocou dois panos de prato em cima do leite derramado, pegou um pano limpo na gaveta do armário e secou a camisa e a calça do pai.

— Ultimamente estou gastando uma fortuna na tinturaria — ele disse.

— Sim, senhor.

Alexandra serviu bacon, ovos e torrada para o irmão. Enquanto o pai estava concentrado no café da manhã, Jean Louise achou que era uma boa oportunidade para dar uma olhada nele.

Ele não tinha mudado. O rosto era o mesmo de sempre. "Não sei por que esperava que ele fosse ficar parecido com Dorian Gray ou alguém assim."

Sobressaltou-se quando o telefone tocou.

Não conseguia se readaptar a telefonemas às seis da manhã, a Hora de Mary Webster. Alexandra atendeu e voltou para a cozinha.

— É para você, Atticus. É o xerife.

— Por favor, Zandra, pergunte o que é.

Alexandra voltou pouco depois e disse:

— É a respeito de uma pessoa que pediu que ele ligasse para você...

— Diga ao xerife para ligar para Hank, Zandra. Pode dizer a ele o que quer que seja que quisesse me dizer. — Ele se virou para Jean Louise: — Ainda bem que tenho um jovem sócio, além de uma irmã. O que um não tem, o outro tem. Não sei o que o xerife pode querer a essa hora.

— Nem eu — ela concordou sem emoção.

— Querida, acho que Allen devia dar uma olhada em você hoje. Está arredia.

— Sim, senhor.

Disfarçadamente, observou o pai tomar o café da manhã. Ele manuseava os estranhos talheres como se fossem talheres comuns. Deu uma olhada no rosto dele e viu que estava coberto por uma incipiente barba branca. Se deixasse a barba crescer, ela seria branca, mas o cabelo estava grisalho e as sobrancelhas ainda eram pretas. O tio Jack já estava com o cabelo branco até as têmporas, e a tia, com a cabeça toda grisalha. "Onde será que meu cabelo vai começar a ficar branco? Por que estou pensando nisso?"

Ela pediu licença e levou sua xícara de café para a sala. Colocou a xícara em uma mesinha e estava abrindo as persianas quando viu o carro de Henry dobrar na entrada da garagem. Ao entrar, encontrou-a junto da janela.

— Bom dia. Você parece um pouco melancólica — ele disse.

— Obrigada. Atticus está na cozinha.

Henry parecia o mesmo de sempre. Após uma noite de sono, a cicatriz no rosto ficava mais tênue.

— Está preocupada com alguma coisa? Acenei para você ontem, na galeria do tribunal, mas você não viu.

— Você me viu?

— Vi, achei que estaria nos esperando na frente do tribunal, mas não estava. Está se sentindo melhor hoje?

— Sim.

— Bom, não precisa falar assim comigo — avisou Henry.

Ela terminou de beber o café, disse a si mesma que queria mais uma xícara e seguiu Henry até a cozinha. Ele ficou encostado na pia, girando a chave do carro no dedo indicador. "É quase da altura dos armários", ela pensou. "Nunca mais vou conseguir dizer uma frase coerente para ele."

— ... e foi assim que aconteceu. Era questão de tempo — Henry estava dizendo.

— Ele tinha bebido? — perguntou Atticus.

— Não tinha apenas bebido, estava bêbado. Passou a noite bebendo naquela espelunca que eles têm.

— O que houve? — perguntou Jean Louise.

— Um problema com o filho de Zeebo — respondeu Henry. — O xerife disse que teve que prendê-lo... Ele pediu que o xerife telefonasse para o sr. Finch para ir soltá-lo... hum.

— Por quê?

— Querida, o filho de Zeebo estava saindo de carro do bairro dos negros a toda velocidade hoje de madrugada e atropelou o velho sr. Healy, que estava atravessando a rua, e o matou.

— Ah, não....

— De quem era o carro? — perguntou Atticus.

— Acho que era de Zeebo.

— O que você disse ao xerife? — perguntou Atticus.

— Disse a ele para avisar ao filho de Zeebo que você não vai aceitar o caso.

Atticus apoiou os cotovelos na mesa e recostou-se na cadeira.

— Não devia ter feito isso, Hank — disse calmamente. — É claro que vamos aceitar o caso.

"Graças a Deus." Jean Louise suspirou baixinho e coçou os olhos. O filho de Zeebo era neto de Calpúrnia. Atticus podia ter esquecido muita coisa, mas jamais se esqueceria deles. O dia anterior estava rapidamente se dissolvendo em uma noite ruim. "Coitado do sr. Healy, devia estar tão bêbado que nem viu o que o acertou."

— Mas, sr. Finch — disse Henry —, pensei que nenhum dos...

Atticus descansou o braço na lateral da cadeira. Quando se concentrava, costumava manusear a corrente do relógio de bolso e remexer distraidamente no bolso do terno. Naquele dia, suas mãos ficaram paradas.

— Hank, suspeito que, depois de conhecermos todos os pormenores do caso, o melhor será o rapaz se declarar culpado. E não acha melhor nós o defendermos no tribunal, em vez de deixar que ele caia nas mãos erradas?

Um sorriso se abriu lentamente no rosto de Henry.

— Entendo o que o senhor quer dizer, sr. Finch.

— Pois eu não entendi. Mãos erradas de quem? — perguntou Jean Louise.

Atticus virou-se para ela.

— Scout, você provavelmente não sabe, mas os advogados pagos pela Associação Nacional para o Progresso das Pessoas de Cor ficam como abutres à espera de acontecer alguma coisa como essa...

— Você se refere aos advogados negros?

Atticus concordou com a cabeça.

— Sim. Há uns três ou quatro atuando no estado. Principalmente em Birmingham e lugares assim, mas ficam de olho, esperando um negro cometer um delito contra um branco. Você ficaria surpresa como eles descobrem depressa. Vêm e, para usar uma expressão que você entenda, exigem a presença de negros no júri nesses casos. Intimam os responsáveis por selecionar o júri, exigem que o juiz abandone o caso, usam de todos os artifícios legais, e eles têm muitos, tentam fazer com que o juiz se equivoque... Mas, acima de tudo, tentam levar o caso para a Suprema Corte, onde sabem que as cartas estão a seu favor. Já aconteceu em um tribunal vizinho ao nosso condado e nada impede que aconteça aqui.

Atticus virou-se para Henry e explicou:

— Por isso vamos aceitar esse caso, se o filho de Zeebo quiser.

— Pensei que a Associação não estivesse proibida de atuar no Alabama — disse Jean Louise.

Atticus e Henry olharam para ela e riram.

— Querida, você não imagina o que aconteceu no condado Abbott quando houve um caso parecido. Nessa primavera, durante algum tempo, chegamos a pensar que ia haver problemas de verdade. Houve até moradores da outra margem do rio que compraram toda a munição que puderam encontrar...

Jean Louise saiu da cozinha.

Na sala, ouviu a voz inalterada de Atticus:

— ... conter um pouco essa maré... Ainda bem que ele pediu um advogado de Maycomb...

Ia continuar tomando o café, nem que chovesse canivete. A quem o pessoal de Calpúrnia sempre recorria primeiro? Quantos divórcios Atticus tinha intermediado para Zeebo? No mínimo uns cinco. Qual dos filhos era aquele? Dessa vez, ele estava encrencado de verdade, realmente precisava de ajuda, e o que eles faziam? Ficavam sentados na cozinha falando sobre a Associação Nacional para o Progresso das Pessoas de Cor... Até pouco tempo atrás, Atticus teria feito aquilo apenas por bondade, teria feito para ajudar Cal. "Tenho que ir vê-la hoje de manhã, sem falta..."

Que desgraça era aquela que tinha se abatido sobre as pessoas que ela amava? Estava vendo aquilo em toda a sua crueza porque tinha permanecido longe? Era algo que fora acontecendo aos poucos ao longo dos anos? Ou tinha estado sempre ali, na cara dela, mas ela não tinha visto? Não, isso não. O que tinha feito com que homens simples passassem a berrar besteiras a plenos pulmões, o que tinha feito com que pessoas como ela endurecessem e começassem a dizer "crioulo", se jamais tinham usado essa palavra?

— ... colocá-los no lugar deles, espero — disse Alexandra, ao entrar na sala com Atticus e Henry.

— Não precisa se preocupar. Vai dar tudo certo — disse Henry. E perguntou para Jean Louise: — Sete e meia, querida?

— Sim.

— Bom, você podia mostrar um pouco de entusiasmo.

Atticus riu.

— Ela já se cansou de você, Hank.

— Quer ir comigo para a cidade, sr. Finch? Ainda está muito cedo, mas acho que vou aproveitar o frescor da manhã para resolver logo algumas coisas.

— Obrigado, mas Scout vai me levar mais tarde.

Ouvi-lo se referir a ela pelo apelido de infância feriu seus ouvidos. "Nunca mais me chame assim. Aquele homem que me chamava de Scout está morto e enterrado."

— Tenho uma lista de coisas que preciso que compre para mim na Jitney Jungle, Jean Louise — disse Alexandra. — Vá trocar de roupa. Você pode ir à cidade agora, as lojas já estão abertas, depois volta e leva o seu pai.

Jean Louise foi para o banheiro e abriu a torneira de água quente da banheira. Foi até o quarto, pegou um vestido de algodão no armário e pendurou-o no braço. Achou sapatos de salto baixo na mala, pegou uma calcinha e levou tudo para o banheiro.

Olhou-se no espelho do armário do banheiro. "Quem se parece com Dorian Gray agora?"

Ela estava com olheiras escuras e as linhas que iam da base do nariz até os cantos da boca estavam marcadas. "Quanto a essas não há dúvida", pensou. Virou o rosto para o lado e observou a pequena ruga. "Não dou a mínima. Quando estiver pronta para me casar já vou ter noventa anos e aí será tarde demais. Quem vai me enterrar? Sou muito mais jovem que todos os outros... Eis um motivo para ter filhos."

Temperou a água quente com um pouco de água fria e, quando a temperatura ficou suportável, entrou na banheira, esfregou-se com força, deixou a água escoar, secou-se e vestiu-se rapidamente. Enxaguou a banheira, secou as mãos, esticou a toalha no toalheiro e saiu do banheiro.

— Passe um batom — recomendou a tia, ao encontrá-la no corredor.

Alexandra foi até o armário e pegou o aspirador de pó.

— Passo quando voltar — respondeu Jean Louise.

— Quando voltar não adianta.

O sol ainda não tinha feito as calçadas de Maycomb ferverem, mas não tardaria. Ela estacionou o carro na frente da mercearia e entrou.

O sr. Fred apertou-lhe a mão, disse que era um prazer vê-la, tirou uma Coca-Cola gelada da máquina, enxugou-a no avental e entregou a ela.

"Esta é uma das coisas boas da vida que não mudam nunca", ela pensou. Enquanto ele vivesse, sempre que ela fosse lá, o sr. Fred daria suas... simples boas-vindas. Que personagem era? Alice no País das Maravilhas? O Coelho Quincas? Não, era o Toupeira. Quando chegava muito cansado de uma longa viagem, sempre era recebido por um familiar, com as suas simples boas-vindas.

— Enquanto você bebe sua Coca-Cola, eu me encarrego da lista — disse o sr. Fred.

— Obrigada, senhor. — Jean Louise olhou a lista e arregalou os olhos. — Minha tia está cada vez mais parecida com o primo Joshua. O que ela quer dizer com "guardanapos de coquetel"?

O sr. Fred riu.

— Acho que ela quer dizer guardanapos de festa. Nunca ouvi dizer que sua tia tomasse coquetel.

— Nem nunca vai ouvir.

O sr. Fred foi cuidar de sua tarefa e dali a pouco perguntou, do fundo da loja.

— Ficou sabendo do sr. Healy?

— Ah, hum — respondeu Jean Louise. Era filha de advogado.

— Nem soube o que bateu nele — continuou o sr. Fred. — Para começar, não sabia nem para onde ia, coitado. Bebia mais uísque barato do que qualquer ser humano que eu já tenha visto. Era sua única realização na vida.

— Ele não costumava fazer música com garrafões?

— Sim, claro — respondeu o sr. Fred. — Lembra quando promoviam noites de talentos no tribunal? Ele sempre estava lá soprando um garrafão. Levava o garrafão cheio e bebia um pouco para baixar o tom, depois bebia mais até soar bem grave e por fim fazia o seu solo. A música era sempre "Old Dan Tucker" e as senhoras sempre ficavam escandalizadas, mas não conseguiam provar nada. Como você sabe, uísque barato não tem muito cheiro.

— Ele vivia de quê?

— De uma pensão, acho. Lutou na Guerra Hispano-Americana... Para falar a verdade, lutou em alguma guerra, mas não lembro qual. Aqui estão as suas compras.

— Obrigada, sr. Fred — disse Jean Louise. — Meu Deus, esqueci de trazer dinheiro. Posso deixar a conta no escritório de Atticus? Ele passa aqui mais tarde.

— Claro, querida. Como vai o seu pai?

— Hoje não está bem, mas vai trabalhar mesmo que caia um dilúvio.

— Por que você não volta a morar aqui dessa vez?

Ela baixou a guarda quando notou que na expressão do sr. Fred não havia mais do que um bom humor desinteressado.

— Um dia eu volto.

— Sabe, participei da Primeira Guerra — disse o sr. Fred. — Não fui para o estrangeiro, mas conheci muitos lugares neste país. Quando a guerra terminou, não tive nenhuma vontade de voltar, então fiquei dez anos fora, mas quanto mais tempo passava longe, mais sentia falta de Maycomb. A ponto de achar que tinha de voltar, senão morreria. Esta cidade gruda nos ossos da gente.

— Sr. Fred, Maycomb é igual a qualquer cidadezinha. É só pegar uma amostra e...

— Não é, Jean Louise. Você sabe disso.

— Tem razão — ela concordou.

Não era por ter nascido lá. Era por ser o lugar onde as pessoas foram nascendo, nascendo e nascendo até finalmente chegarem a ela, bebendo uma Coca-Cola na Jitney Jungle.

Sentiu, de repente, um nítido distanciamento, uma separação, e não apenas de Atticus e Henry. Com o passar das horas, Maycomb e todo o condado iam se afastando dela, e Jean Louise automaticamente se culpou.

Bateu com a cabeça ao entrar no carro. "Nunca vou me acostumar com essas coisas. Tio Jack tem razão em vários aspectos da sua filosofia."

Alexandra pegou as compras no banco de trás do carro. Jean Louise se inclinou sobre o banco e abriu a porta para o pai entrar; depois passou o braço por cima dele e a fechou.

— Tia, vai precisar do carro hoje de manhã?

— Não, querida. Vai a algum lugar?

— Vou, mas não demoro.

Concentrou-se na rua. "Posso fazer qualquer coisa, menos olhar para ele, ouvir o que ele diz e conversar com ele."

Quando parou o carro na frente da barbearia, disse ao pai:

— Pergunte ao sr. Fred quanto devemos a ele. Esqueci de pegar a conta na sacola de compras. Disse que você pagaria.

Abriu a porta para Atticus, que desceu no meio da rua.

— Cuidado!

Atticus acenou para o motorista do carro que passou.

— Não me atropelou — ele disse.

Ela contornou a praça e pegou a estrada para Meridian até chegar a uma bifurcação. "Deve ter sido aqui que aconteceu", pensou.

Havia manchas escuras no cascalho vermelho, onde terminava o asfalto, e ela passou com o carro em cima do sangue do sr. Healy. Quando chegou a uma bifurcação na estrada de terra, virou à direita e entrou por uma estradinha tão estreita que o carro ocupava todo o espaço. Continuou dirigindo até que não pôde mais avançar.

A estrada estava bloqueada por uma fila de carros atravessados no meio da sarjeta. Ela estacionou atrás do último e saltou. Passou por um Ford 1939, um Chevrolet de ano desconhecido, um Willys, um carro funerário azul-escuro em cuja porta da frente havia a inscrição Repouso Celestial gravada em um semicírculo cromado. Levou um susto e olhou o interior do carro: na parte de trás havia assentos aparafusados no chão, que não deixavam espaço para um corpo deitado, vivo ou morto. "Isso é um táxi", pensou.

Levantou um aro de metal do portão da frente e entrou. O quintal de Calpúrnia estava limpo, dava para ver que tinha sido varrido pouco antes, pois ainda havia marcas dos fios da vassoura junto às pegadas suaves.

Levantou o olhar e viu que na varanda da casinha de Calpúrnia havia negros usando vários tipos de roupa: duas mulheres estavam vestidas com suas melhores roupas; uma usava um avental de chita; e outra estava vestida com as roupas do campo. Jean Louise reconheceu um dos homens, era o professor Chester Sumpter, diretor do Colégio Técnico Monte Sinai, a maior escola para negros do condado. O professor Sumpter estava, como sempre, de preto. O outro homem de terno preto ela não conhecia, mas sabia que era um pastor. Zeebo estava usando as roupas de trabalho.

Quando a viram, eles se empertigaram e se retiraram da beirada da varanda, se agrupando. Os homens tiraram os chapéus e bonés; a mulher que usava um avental juntou as mãos embaixo dele.

— Bom dia, Zeebo — cumprimentou Jean Louise.

Zeebo se afastou do grupo e deu um passo à frente.

— Como vai, srta. Jean Louise? A gente não sabia que a senhorita estava em casa.

Jean Louise sentia claramente que os negros a observavam. Estavam de pé em silêncio, respeitosos, e a olhavam atentamente.

— Calpúrnia está em casa?

— Está sim, srta. Jean Louise, mamãe está lá dentro. Quer que chame?

— Posso entrar, Zeebo?

— Pode.

O grupo de negros abriu caminho para ela entrar. Zeebo, sem saber direito qual era o protocolo, abriu a porta e se afastou para ela passar.

— Vá na frente, Zeebo — ela pediu.

Ela o seguiu até uma sala escura onde se misturava o cheiro doce e almiscarado de negros limpos, rapé e fixador de cabelos. Várias figuras indistintas se levantaram quando ela entrou.

— Por aqui, srta. Jean Louise.

Passaram por um pequeno corredor e Zeebo bateu em uma porta de madeira sem pintura.

— Mamãe, a srta. Jean Louise está aqui.

A porta se abriu de leve e a esposa de Zeebo enfiou a cabeça para fora. Ela foi para o corredor, onde mal cabiam os três.

— Olá, Helen. Como está Calpúrnia? — perguntou Jean Louise.

— Está mal, srta. Jean Louise. Frank nunca tinha dado problema...

Então o neto era Frank. De todos os seus inúmeros descendentes, era dele que Calpúrnia mais se orgulhava. Estava na lista de espera para entrar no Instituto Tuskegee. Era um encanador nato, consertava qualquer coisa por onde passasse água.

Helen, com a barriga flácida de tanto carregar filhos, encostou-se na parede. Estava descalça.

— Zeebo, você e Helen estão morando juntos outra vez? — perguntou Jean Louise.

— Estamos. Ele *tá* velho — respondeu Helen calmamente.

Jean Louise sorriu para Zeebo, que parecia envergonhado. Por mais que tentasse, ela não conseguia destrinchar a vida familiar dele. Achava que Helen devia ser a mãe de Frank, mas não tinha certeza. Só sabia que ela era a primeira mulher de Zeebo, e certamente também a atual, mas quantas ele tinha tido nesse intervalo?

Lembrou-se de Atticus contando sobre o casal anos antes, quando foram ao escritório dele querendo se divorciar. Atticus, em uma tentativa de reconciliá-los, perguntou a Helen se não aceitaria o marido de volta. "Nem pensar, sr. Finch", ela respondeu, devagar. — "Zeebo andou de desfrute com outras mulheres, não desfruta mais de mim e não quero um homem que não desfruta mais da esposa."

— Posso falar com Calpúrnia, Helen?

— Sim, senhorita, pode entrar.

Calpúrnia estava sentada em uma cadeira de balanço de madeira em um canto do quarto, ao lado da lareira. No quarto, havia uma cama de ferro coberta com uma colcha desbotada com estampa de anéis entrelaçados. Na parede, três grandes fotos de negros com moldura dourada e um calendário da Coca-Cola. A rústica cornija da lareira estava cheia de pequenos enfeites de gesso, porcelana, argila e opalina. Uma lâmpada pendia de um fio no teto, projetando sombras nítidas na parede da lareira e no canto onde Calpúrnia estava sentada.

"Como ela parece pequena. Antes era tão alta", pensou Jean Louise.

Calpúrnia estava velha e magra. A vista estava fraca, e ela usava óculos de aro preto que contrastavam com sua pele morena. As mãos grandes estavam pousadas no colo e ela as levantou, abrindo os dedos, quando Jean Louise entrou.

Jean Louise sentiu um aperto na garganta ao ver os dedos ossudos de Calpúrnia, tão delicados quando ela adoecia e tão duros quanto ébano quando fazia alguma coisa errada; dedos que muitos anos antes tinham executado complicadas tarefas com amor. Jean Louise beijou as mãos de Cal.

— Cal — disse ela.

— Sente, querida. Tem uma cadeira? — perguntou Calpúrnia.

— Tem, Cal. — Jean Louise puxou uma cadeira e se sentou na frente de sua velha amiga. — Cal, vim aqui para dizer... Vim para dizer que se tiver alguma coisa que eu possa fazer por você, é só dizer.

— Obrigada, senhorita. Não tem nada — disse Calpúrnia.

— O sr. Finch ficou sabendo de tudo logo de manhã. Frank pediu ao xerife para ligar para ele e o sr. Finch vai... ajudá-lo.

As palavras morreram em seus lábios. Dias antes teria dito "o sr. Finch vai ajudá-lo", segura de que Atticus ia dar um jeito em tudo.

Calpúrnia assentiu. Estava de cabeça erguida e olhava fixamente para a frente. "Não está conseguindo me ver direito", pensou Jean Louise. "Me pergunto quantos anos ela deve ter. Eu nunca soube ao certo e acho que ela também não."

— Não se preocupe, Cal. Atticus vai fazer tudo que for possível — disse Jean Louise.

— Eu sei, srta. Scout — respondeu Calpúrnia. — Ele sempre faz. Sempre faz o que é direito.

Jean Louise ficou olhando boquiaberta a velha mulher. Estava sentada com a altiva dignidade que assumia em ocasiões formais, que vinha acompanhada por uma gramática descuidada. Se o mundo tivesse parado de girar, as árvores tivessem congelado e o mar tivesse devolvido seus mortos, Jean Louise não teria notado.

— *Calpúrnia!*

Mal a ouviu dizer:

— Frank errou... tem que pagar... meu neto. Gosto muito dele... mas vai ser preso com ou sem o sr. Finch.

— *Calpúrnia, não diga isso!*

Jean Louise ficou de pé. Sentiu os olhos ficarem cheios de lágrimas e andou aos tropeços até a janela.

A velha mulher não tinha se mexido. Jean Louise virou-se e viu que ela continuava sentada, parecendo respirar pausadamente.

Calpúrnia estava se comportando como fazia quando recebiam visitas.

Jean Louise sentou-se de novo na frente dela.

— Cal — disse chorando. — Cal, Cal, Cal, o que está fazendo comigo? O que houve? Sou a sua menina, lembra? Por que está me ignorando? Por que faz assim comigo?

Calpúrnia levantou as mãos e pousou-as de leve nos braços da cadeira de balanço. Em seu rosto havia um milhão de pequenas rugas e os olhos estavam baços atrás das lentes grossas.

— O que vocês estão fazendo com a gente? — ela perguntou.

— A gente?

— Isso mesmo, a gente.

Jean Louise falou devagar, mais para si mesma do que para Calpúrnia:

— Em toda a minha vida nunca imaginei que uma coisa dessas pudesse acontecer. E aconteceu. Não consigo falar com a pessoa que cuidou de mim desde os dois anos de idade... Está acontecendo neste exato momento e eu não consigo acreditar. Fale comigo, Cal. Pelo amor de Deus, fale direito comigo. Não fique sentada aí desse jeito!

Olhou para a velha mulher e compreendeu que não adiantava. Calpúrnia a olhava, mas em seus olhos não havia nenhum indício de compaixão. Jean Louise levantou-se para ir embora.

— Responda uma coisa, Cal, só uma, antes de eu ir embora... Por favor, preciso saber. Você odiava a gente?

A velha mulher ficou calada, sentindo o peso dos anos. Jean Louise esperou.

Finalmente, Calpúrnia negou com a cabeça.

— Zeebo, se eu puder fazer alguma coisa, por favor, me avise — disse Jean Louise.

— Sim, senhorita — ele respondeu. — Mas acho que não tem nada pra fazer. O Frank matou o velho, ninguém pode fazer nada. O sr. Finch não pode fazer nada numa situação dessas. Posso ajudar em alguma coisa enquanto a senhora está na cidade?

Estavam na varanda, no espaço que as pessoas tinha aberto para eles passarem. Jean Louise suspirou.

— Pode, sim, Zeebo, agora mesmo pode me ajudar a tirar o carro. Se eu tentar é capaz de ir parar no milharal.

— Claro, srta. Jean Louise.

Ela observou Zeebo manobrar o carro no estreito espaço da estrada. "Tomara que eu consiga chegar em casa", ela pensou.

— Obrigada, Zeebo. Não se esqueça do que eu falei — disse, desanimada.

O negro tocou a aba do chapéu e voltou para a casa da mãe.

Jean Louise ficou sentada no carro, olhando para o volante. "Por que perdi tudo que amei na vida em dois dias? Será que Jem também viraria as costas para mim? Cal gostava de nós, tenho certeza de que gostava. Estava sentada na minha frente mas não me via, só via uma pessoa branca. Ela me criou, mas não liga para isso.

"Tenho certeza de que as coisas não foram sempre assim. As pessoas costumavam confiar umas nas outras por algum motivo, não me lembro por quê. Não ficavam se encarando como falcões. Há dez anos, ninguém ia olhar para mim como fizeram quando eu estava subindo a escada. Ela nunca fez cerimônia conosco... Quando Jem, o seu querido Jem, morreu, ela quase morreu junto."

Jean Louise se lembrava de ter ido até a casa de Calpúrnia em um fim de tarde dois anos antes. Ela estava sentada no quarto como hoje, os óculos na ponta do nariz. Tinha chorado.

— Com ele era sempre tão fácil — disse Calpúrnia naquele dia. — Meu menino nunca me deu trabalho. Trouxe um presente para mim quando voltou da guerra, um casaco elétrico. — Quando sorria, o rosto de Calpúrnia se desfazia em um milhão de rugas. Foi até a cama e tirou de baixo dela uma caixa grande. Abriu a caixa e pegou um enorme casaco de couro preto. Era uma jaqueta de oficial da Força Aérea alemã. — Está vendo? É só ligar e ele esquenta. — Jean Louise examinou o casaco e viu que era entremeado por pequenos fios; as pilhas ficavam dentro de um bolso. — O sr. Jem disse que o casaco ia aquecer os meus ossos no inverno. E para eu não ter medo, mas tomar cuidado quando estivesse ligado.

Quando ela usava o casacão elétrico, os amigos e vizinhos morriam de inveja.

— Cal, volte, por favor — Jean Louise tinha pedido. — Só vou conseguir voltar tranquila para Nova York se você estiver lá em casa.

O pedido pareceu funcionar, Calpúrnia aprumou-se e concordou.

— Sim, senhorita — ela respondeu. — Vou voltar, não se preocupe.

Jean Louise apertou o botão da ignição e o carro avançou lentamente pelo caminho. *"Uni-duni-tê/ crioulo preso pelo pé/ quando ele enfim berrar/ você deve então soltar...* Que horror."

QUINTA PARTE

13

Alexandra estava à mesa da cozinha, concentrada em rituais culinários. Jean Louise passou por ela na ponta dos pés, mas não adiantou.

— Venha aqui dar uma olhada.

Alexandra se afastou da mesa e mostrou várias travessas de vidro lapidado, cada uma com uma pilha de três andares de delicados sanduíches.

— É para o almoço de Atticus?

— Não, ele vai tentar almoçar no centro hoje. Você sabe que ele detesta ficar no meio de um bando de mulheres.

"Meu São Moisés, rei dos judeus. O café da manhã."

— Querida, por que não vai arrumar a sala? Elas chegam daqui a uma hora.

— Quem você convidou?

A lista de convidadas de Alexandra era tão absurda que Jean Louise deu um profundo suspiro. A metade das mulheres era mais jovem que ela, a outra metade, mais velha. Não tinham compartilhado nenhuma experiência de que ela conseguisse se lembrar, salvo uma das convidadas, com a qual brigou durante todo o primário.

— Onde estão as minhas colegas de classe? — ela perguntou.

— Por aí, imagino.

Ah, sim. Por aí, em Old Sarum e outros lugares no meio do bosque. Perguntou-se que fim elas teriam levado.

— Você foi visitar alguém hoje de manhã? — perguntou Alexandra.

— Fui ver Cal.

A faca que Alexandra segurava bateu com força na mesa.

— Jean Louise!

— E *agora*? Qual é o problema?

"Essa é a última vez que brigo com ela, se Deus quiser. De acordo com ela, nunca fiz uma coisa certa na vida", pensou Jean Louise.

— Calma, mocinha — disse Alexandra, com frieza. — Jean Louise, ninguém mais em Maycomb visita os negros, não depois do que eles têm feito conosco. Além de serem uns preguiçosos, eles agora nos olham com uma insolência descarada e não dá mais para contar com eles. A tal Associação Nacional para o Progresso das Pessoas de Cor encheu a cabeça deles de veneno até sair pelas orelhas. Só não tivemos problemas no condado até agora porque nosso xerife é firme. Você não *imagina* o que tem acontecido. Fomos bons para os negros, nós os tiramos da cadeia e pagamos suas dívidas desde que o mundo é mundo, arrumamos trabalho para eles quando não havia trabalho, os incentivamos a melhorar, eles viraram pessoas civilizadas, mas, minha querida, o verniz de civilização é tão fino que um bando de negros ianques arrogantes é capaz de destruir cem anos de progressos em cinco... Não, senhora, depois da retribuição que tivemos por cuidar deles, ninguém mais em Maycomb está disposto a ajudá-los quando se metem em encrenca. Eles só sabem cuspir no prato em que comeram. Não, senhora, acabou... Eles que se virem sozinhos.

Jean Louise tinha dormido doze horas e seus ombros estavam doloridos de cansaço.

— Sarah, a empregada de Mary Webster, tem um cartão da Associação há anos, como todas as cozinheiras da cidade. Quando Calpúrnia foi embora, eu não quis me aborrecer com outra empregada só para servir Atticus e eu. Agradar um crioulo hoje em dia é como agradar um rei...

"Minha santa tia está falando igual ao sr. Grady O'Hanlon, que parou de trabalhar para se dedicar em tempo integral à preservação da segregação racial."

— .. temos de fazer tudo por eles, até o ponto de não sabermos mais quem trabalha para quem. Simplesmente não vale a pena... Aonde você vai?

— Arrumar a sala.

Ela se afundou em uma poltrona e pensou em como tudo aquilo estava fazendo com que se sentisse mal. "Minha tia é uma estranha hostil, minha Calpúrnia não quer saber de mim, Hank enlouqueceu e Atticus... Tem alguma coisa errada comigo, o problema é comigo. Tem que ser, porque todas essas pessoas não podem ter mudado assim. Por que eles não ficam de cabelos em pé? Como podem acreditar piamente em tudo o que ouvem na igreja e depois dizer o que dizem, e ouvir o que ouvem e não vomitar? Eu pensei que fosse cristã, mas não sou. Sou outra coisa, e não sei o quê. Tudo o que sei sobre o que é certo ou errado aprendi com essas pessoas... essas mesmas pessoas. Portanto, o problema sou eu, não eles. Alguma coisa aconteceu comigo.

"Estão todos querendo me dizer, como um estranho eco, que a culpa é toda dos negros... Mas é tão certo que a culpa é dos negros quanto é certo que eu posso voar, e Deus sabe como eu tenho vontade de sair voando pela janela agora mesmo."

— Você não arrumou a sala? — Alexandra estava de pé na frente dela.

Jean Louise se levantou e arrumou a sala.

As peruas chegaram às dez e meia em ponto. Jean Louise ficou nos degraus da frente para recebê-las e cumprimentou cada uma conforme iam chegando. Usavam luvas e chapéu e cheiravam a óleos essenciais de rosas, perfume, água de colônia e sais de banho. A maquiagem delas deixaria os antigos egípcios envergonhados e as roupas — especialmente os sapatos — certamente tinham sido compradas em Montgomery ou Mobile: Jean Louise via modelos de A. Nachman, Gayfer's, Levy's, Hammel's por toda a sala.

Sobre o que elas conversam atualmente? Jean Louise tinha se distraído, mas logo voltou a prestar atenção. As recém-casadas falavam com presunção sobre seus Bobs e Michaels, sobre como estavam casadas com Bob ou Michael havia menos de quatro meses e eles já tinham engordado dez quilos cada um. Jean Louise resistiu à tentação de explicar às jovens convidadas as prováveis razões clínicas para seus amados inflarem tão rápido e se virou para o Grupo das Fraldas, o que a angustiou profundamente:

— Quando Jerry tinha dois meses, ele olhou para mim e disse...

— Na verdade, deviam começar a aprender a usar o banheiro quando...

— No batizado, ele agarrou os cabelos do sr. Stone e o Sr. Stone...

— Agora está fazendo xixi na cama. Consegui que ela parasse na mesma época em que consegui que parasse de chupar o dedo...

— Com o agasalho mais *liiiiindo*, o mais lindo que já vi, com um elefantinho vermelho e *Crimson Tide* escrito no peito...

— ... e pagamos cinco dólares.

A Carga da Brigada Ligeira estava sentada à esquerda dela: todas na casa dos trinta anos, ocupavam as horas livres no Clube dos Amanuenses, jogando bridge e competindo entre si no que se referia a eletrodomésticos.

— John acha...

— Calvin disse que é o...

— ... os rins, mas Allen me proibiu de comer frituras...

— Quando aquele zíper não fechou, eu preferia nunca...

— Fiquei pensando como ela pode achar que vai conseguir se safar...

— Coitada, no lugar dela, eu...

— Tratamento de choque, foi o que ela fez. Dizem que ela...

— Solta a franga nos sábados à noite, quando começa o programa de Lawrence Welk...

— E ri tanto, pensei que fosse morrer! Lá estava ele...

— ... meu vestido de noiva e, sabe, ainda cabe em mim.

Jean Louise olhou para as três Eternas Esperançosas à sua direita. Eram alegres maycombianas de excelente caráter que ainda não tinham se casado. Eram tratadas com condescendência pelas amigas casadas, que sentiam certa pena delas e as apresentavam a qualquer homem solteiro que as estivesse visitando. Jean Louise olhou para uma delas com ácido deleite e se lembrou de quando, aos dez anos, fez a única tentativa de fazer parte de um grupo e perguntou a Sarah Finley se podia ir à casa dela uma tarde. "Não", respondeu Sarah, "mamãe diz que você é muito mal-educada."

"Agora estamos as duas sozinhas, por motivos bem diferentes, mas a sensação é a mesma, não é?"

As Eternas Esperançosas falavam baixo entre si:

— Foi o dia mais longo da minha vida...

— Atrás do prédio do banco...

— Uma casa nova, na rua ao lado da...

— União de Treinamento da igreja, se você somar tudo, todo domingo passa quatro horas na igreja...

— Quantas vezes eu disse ao sr. Fred que gosto dos meus tomates...

— Um calor insuportável. Eu disse que se eles não instalassem um ar-condicionado naquela sala...

— ... desistir do jogo. Quem ia fazer uma coisa dessas?

Jean Louise aproveitou a brecha para perguntar:

— Continua trabalhando no banco, Sarah?

— Sim, felizmente. Vou ficar lá até bater as botas.

Hum.

— Ah, e que fim levou a Jane... como era o sobrenome dela? Lembra, aquela sua amiga da escola.

Sarah Finley e Jane-Como-Era-O-Sobrenome-Dela eram inseparáveis.

— Ah, sei. Ela se casou com um rapaz bem excêntrico durante a guerra e agora fala com um sotaque que você não a reconheceria.

— É? E onde ela mora?

— Em Mobile. Durante a guerra, ela foi para Washington e ficou com aquele sotaque horrível. Todo mundo achava que era ridículo, mas ninguém tinha coragem de dizer, então ela continua falando do mesmo jeito. Lembra que ela andava de cabeça empinada, assim? Continua a mesma coisa.

— Continua?

— Uh-hum.

"A tia tem sua utilidade, bendita seja", pensou Jean Louise, ao ver Alexandra fazer sinal para ela. Foi até a cozinha e trouxe uma bandeja de guardanapos de coquetel. Enquanto os entregava às convidadas em fila, teve a impressão de tocar as teclas de um imenso cravo:

— Nunca na minha vida...

— Vi aquela linda foto...

— Com o velho sr. Healy...

— Ali na cornija da lareira o tempo todo...

— É? Acho que uns onze...

— Ela vai acabar se divorciando. Afinal, do jeito que ele...

— No nono mês, toda hora ele fazia massagem nas minhas costas...

— ... você teria morrido. Se pudesse vê-lo...

— Fazendo xixi a cada cinco minutos à noite. Coloquei um ponto final em...

— Todo mundo da nossa turma da escola, menos aquela garota horrível de Old Sarum. Ela não se daria conta...

— Nas entrelinhas, mas você sabe *exatamente* o que ele quis dizer. Percorreu outra vez a escala com a travessa de sanduíches.

— O sr. Talbert olhou para mim e disse...

— Ele nunca ia aprender a sentar no penico...

— ... de ervilhas toda quinta-feira à noite. Foi a única coisa que ele pegou dos ianques na...

— Guerra das Rosas? Não, querida, eu disse terra pavorosa...

— Para o lixo. Era só o que eu podia fazer, depois que ela acabou com...

— ... o uísque. Não podia evitar, fiquei me sentindo uma enorme...

— Amém! Vou ficar tão feliz quando acabar...

— O jeito que ele a tratava...

— Pilhas e pilhas de fraldas, e ele perguntava por que eu estava tão cansada. Afinal, ele tinha ficado...

— Nos arquivos o tempo todo, era lá que estava.

Alexandra vinha por trás dela, abafando o som das teclas do cravo com café até se reduzirem a um suave murmúrio. Jean Louise concluiu que a Brigada Ligeira era onde se sentia mais à vontade; pegou um pufe e foi se sentar perto delas. Escolheu Hester Sinclair e perguntou:

— Como vai Bill?

— Ótimo. Fica cada dia mais difícil conviver com ele. Foi terrível o que aconteceu hoje de manhã com o sr. Healy, não?

— Sem dúvida.

— Aquele rapaz não tinha uma ligação com a sua família? — perguntou Hester.

— Tinha, é neto da nossa Calpúrnia.

— Céus, hoje não dá mais para saber quem são, principalmente os mais jovens. Acha que vão acusá-lo de homicídio?

— Homicídio culposo, acho.

— Ah — Hester disse, desapontada. — É verdade, ele não teve a intenção.

— É, não teve.

Hester riu.

— E eu que pensei que fôssemos ter um pouco de animação.

Jean Louise se arrepiou. "Vai ver que estou perdendo o senso de humor, é isso. Estou ficando como o primo Edgar."

— ... há dez anos não temos um bom julgamento. Um bom julgamento de crioulo, quero dizer. Só tem acusação de agressão física e embriaguez — Hester estava dizendo.

— Você gosta de ir ao tribunal?

— Claro. Na primavera passada, tivemos o divórcio mais selvagem que já vi. Uns arruaceiros de Old Sarum. Ainda bem que o juiz Taylor morreu... Você sabe como ele detestava essas coisas, sempre pedia que as senhoras se retirassem do recinto. Esse novo juiz não se incomoda. Bem...

— Com licença, Hester. Vou servir mais café para você.

Alexandra estava segurando o pesado bule de prata que tinha pertencido à mãe de Jean Louise. Observou-a servir o café sem pingar uma gota. "Não derrama nem uma gota. Se Hank e eu... Hank."

Olhou a comprida sala de teto baixo, com as duas fileiras de mulheres que ela mal conhecia e com as quais não conseguia conversar cinco minutos sem morrer de tédio. "Não tenho assunto com elas. Falam sem parar sobre o que fazem, e eu não sei fazer as coisas que elas fazem. Se nós nos casássemos, se eu me casasse com qualquer homem dessa cidade, essas pessoas seriam as minhas amigas, e não tenho nada para dizer a elas. Eu ia ser Jean Louise, a calada. Jamais conseguiria organizar uma reunião assim, e aqui está a tia Alexandra, se divertindo para valer. Teria de ir à igreja até não aguentar mais, jogar bridge até não aguentar mais, me encarregar das resenhas dos livros no Clube dos Amanuenses, me tornar parte da comunidade. Mas, para aceitar esse papel, seria preciso ter muita coisa que não tenho."

— ... uma coisa muito triste — concordou Alexandra —, mas eles são assim mesmo, não se pode fazer nada. Calpúrnia era a melhor pessoa da família. Aquele filho dela, Zeebo, é um sem-vergonha que ainda não desceu da árvore, mas, sabe, Calpúrnia obrigou-o a se casar com todas as mulheres que teve. Foram cinco, acho, mas Calpúrnia fez com que se casasse com todas. Para eles, isso é cristianismo.

— Não dá para entender o que passa pela cabeça deles. Eu, por exemplo, uma vez perguntei à minha Sophie em que dia ia cair o Natal. Ela coçou a carapinha e respondeu: "Dona Hester, acho que esse ano cai no dia vinte e cinco." Eu quase morri de rir, queria saber o dia da semana e não do mês. Ignorante!

"Humor, humor, humor, perdi o senso de humor. Estou ficando como o *New York Post*."

— ... mas eles continuam fazendo. Proibir só fez com que agissem às escondidas. Bill diz que não estranharia se houvesse outra rebelião como aquela de Nat Turner, estamos sentados em um barril de pólvora e é melhor nos precavermos — avisou Hester.

— Hum, ah... Hester, acho que não estou muito a par da situação, claro, mas acredito que aquelas pessoas em Montgomery passavam grande parte do tempo rezando na igreja — disse Jean Louise.

— Ah, minha querida, não sabe que foi só para conseguir apoio do Leste? É o truque mais antigo que existe. Como você sabe, o imperador Guilherme, da Alemanha, também rezava todas as noites.

Jean Louise se lembrou de um poema absurdo. Onde tinha lido?

Com a graça de Deus, minha cara Augusta,
obtivemos mais uma vitória robusta;
dez mil franceses foram para a cova.
*Agradeçamos a Deus por essa boa-nova.**

Jean Louise se perguntou onde ela tinha obtido aquelas informações. Não podia imaginar Hester Sinclair lendo nada além da revista *Good Housekeeping*, a menos que fosse obrigada. Alguém devia ter contado a ela, mas quem?

— Tem se interessado por história ultimamente, Hester?

— O quê? Ah, eu só repeti o que o meu Bill diz. Ele, sim, lê muito e diz que os crioulos que estão agitando o Norte estão querendo fazer o mesmo que Gandhi, e você sabe o que é.

— Acho que não. O que é?

— Comunismo.

— Ah... Pensei que os comunistas fossem a favor das revoluções violentas e coisas assim.

Hester negou com a cabeça.

— Por onde você tem andado, Jean Louise? Eles são capazes de qualquer coisa para conseguir o que querem, são iguaizinhos aos católicos. Você sabe que os católicos vão para os lugares e praticamente

---

* Trecho de uma carta do imperador alemão Guilherme à mulher. (N. da T.)

se transformam em nativos para converter as pessoas. São capazes de dizer que São Paulo era crioulo como eles só para converter um negro. Bill diz... Ele esteve na guerra, você sabe... Bill diz que, em algumas dessas ilhas, não dava para saber o que era vodu e o que era catolicismo romano e ele não estranharia se visse um praticante de vodu com colarinho de padre. É a mesma coisa com os comunistas. Estão dispostos a fazer qualquer coisa para tomar conta deste país. Estão em toda parte, não dá para saber quem é e quem não é. Até aqui em Maycomb...

Jean Louise riu.

— Vamos, Hester, o que os comunistas iam querer em Maycomb?

— Não sei, mas sei que tem uma célula bem perto daqui, em Tuscaloosa, e se não fosse por aqueles garotos, os crioulos estariam frequentando as aulas junto com eles.

— Não entendi o que você quer dizer, Hester.

— Não leu sobre as perguntas que aqueles professores tão finos faziam naquela... naquela convocação para ingresso? Bom, eles teriam permitido que ela entrasse, não fosse pelos rapazes da fraternidade...

— Céus, Hester. Acho que tenho lido o jornal errado. O jornal que eu li dizia que o grupo que protestou era de funcionários de uma fábrica de pneus...

— Que jornal você lê, o *Worker*?

"Você está encantada consigo mesma. É capaz de dizer qualquer coisa que passe por sua cabeça, só não consigo entender o que passa por sua cabeça. Eu gostaria de abrir o seu crânio, colocar uma informação lá dentro e acompanhar o percurso dela por seu cérebro até sair por sua boca. Nós duas nascemos aqui, frequentamos as mesmas escolas, aprendemos as mesmas coisas. Não sei o que você viu e ouviu."

— ... todo mundo sabe que a Associação Nacional para o Progresso das Pessoas de Cor quer desestabilizar o Sul...

"Concebida na desconfiança e consagrada à crença de que todos os homens são maus por natureza."

— ... deixam bem claro que querem acabar com a raça negra, e vão conseguir em quatro gerações, segundo Bill, se começarem por essa agora...

"Espero que o mundo não dê atenção nem se lembre por muito tempo do que você está dizendo."

— ... e quem pensa diferente ou é comunista ou vai se tornar comunista. Resistência passiva uma ova...

"Quando, no curso da história humana, se faz necessário que um grupo de pessoas dissolva os laços políticos que mantinha com outro, então esse grupo é comunista."

— ... eles sempre querem se casar com alguém de cor um pouco mais clara, querem miscigenar a raça...

— Hester — interrompeu Jean Louise —, me diga uma coisa. Desde que cheguei aqui no sábado, ouvi falar muito em miscigenação da raça e fico me perguntando se não é uma palavra um tanto inadequada, que provavelmente devia ser excluída do vocabulário sulista. É preciso duas raças para haver miscigenação, se é que essa é a palavra certa, e quando nós, brancos, falamos em miscigenação, isso não é um reflexo de nós como raça? A impressão que dá é que, se a lei permitisse, haveria uma corrida para casar com negros. Se eu fosse uma estudiosa do assunto, o que não sou, diria que esse tipo de discurso tem um profundo sentido psicológico que é pouco lisonjeiro para quem faz uso dele. Na melhor das hipóteses, demonstra uma alarmante falta de confiança na própria raça.

Hester ficou olhando para Jean Louise.

— Acho que não estou entendendo o que você quer dizer.

— Eu mesma não entendo. Só sei que fico de cabelo em pé cada vez que ouço alguém falar assim. Talvez porque não tenha sido criada ouvindo esse tipo de coisa.

Hester se irritou.

— Está querendo insinuar...

— Desculpe, não foi a minha intenção — disse Jean Louise. — Realmente espero que me desculpe.

— Jean Louise, quando eu disse aquilo não estava me referindo a *nós*.

— Então se referia a quem?

— Eu estava falando sobre a... como dizer, a gentinha, os homens que têm amantes negras e esse tipo de coisa.

Jean Louise sorriu.

— Que estranho. Há um século, os cavalheiros brancos tinham amantes negras, agora só a gentinha tem.

— Isso era quando os brancos eram donos delas, boba. Agora, a Associação está atrás é da gentinha, querem que os crioulos se casem com gente dessa classe e continuem se casando assim até acabar com todo o nosso padrão social.

"Padrão social. Colchas de casal com estampa de anéis entrelaçados. Ela não podia nos odiar, e não é possível que Atticus acredite nesse tipo de coisa. Sinto muito, é impossível. Desde ontem, sinto como se estivessem me arrastando para o fundo de um profundo, profundo..."

— BEM, E QUE TAL NOVA YORK?

"Nova York. Nova York? Vou contar como é Nova York. A solução para tudo está em Nova York. As pessoas vão à Associação de Jovens Judeus, à Associação de Anglófonos, ao Carnegie Hall, à Nova Escola de Pesquisa Social e encontram as respostas. A cidade vive de slogans, "ismos", respostas rápidas e claras. Neste exato momento, Nova York está me dizendo: você, Jean Louise Finch, não está agindo de acordo com os nossos princípios no que se refere a sua classe, portanto, você não existe. As melhores mentes do país nos disseram quem você é. Não pode fugir, e não a culpamos por isso, mas pedimos que aja de acordo com as normas de comportamento estabelecidas por quem sabe, e não queira ser diferente."

Ela respondeu: "Por favor, acredite em mim, o que aconteceu na minha família não é o que você pensa. Só posso dizer uma coisa: tudo o que sei sobre honestidade humana aprendi aqui. Com vocês não aprendi nada, a não ser a desconfiar. Não sabia o que era ódio até viver no meio de vocês e vê-los odiando diariamente. Tiveram até de aprovar leis proibindo o ódio. Desprezo as suas respostas rápidas, os seus slogans no metrô e, acima de tudo, desprezo a sua falta de educação: vocês nunca terão educação."

O homem que não conseguia ser indelicado nem com um esquilo tinha apoiado no tribunal a causa de um sujeitinho sujo. Quantas vezes ela tinha visto esse mesmo homem na fila da mercearia, esperando a vez de ser atendido atrás de negros e de sabe-se lá quem mais. Tinha visto o sr. Fred franzir o cenho para ele e o pai responder balançando a cabeça. Era o tipo de homem que esperava sua vez instintivamente; era educado.

"Olha, irmã, sabemos como são as coisas: você passou os primeiros vinte e um anos da sua vida na terra do linchamento de negros, em um condado que tem dois terços da população formada por camponeses negros. Portanto, pare de fingir."

"Você não vai acreditar, mas posso lhe assegurar assim mesmo que até hoje nunca tinha ouvido ninguém da minha família pronunciar a palavra "crioulo". Nunca fui ensinada a pensar em termos de 'crioulos'. Cresci no meio de negros, Calpúrnia, o lixeiro Zeebo, o jardineiro Tom, e outros, quaisquer que fossem seus nomes. Havia centenas de negros ao meu redor; eles eram as mãos nos campos, os que colhiam o algodão, os que trabalhavam nas estradas, os que cortavam a madeira para construir nossas casas. Eram pobres, sujos e doentes, alguns eram preguiçosos e indolentes, mas nunca na vida fui ensinada a desprezá-los, temê-los, faltar-lhes com o respeito ou maltratá-los, e achar que ia ficar por isso mesmo. Como povo, eles não invadiam o meu mundo, nem eu o deles; quando ia caçar, não invadia as terras dos negros, não porque fossem terras de negros, mas porque eu não devia invadir as terras de ninguém. Aprendi a nunca me aproveitar de ninguém menos afortunado que eu, fosse em termos de inteligência, dinheiro ou posição social — ninguém, não apenas os negros. E aprendi que fazer o contrário era desprezível. Fui criada assim, por uma negra e um branco. Você deve saber. Se um homem diz 'essa é a verdade' e você acredita, mas depois descobre que é mentira, fica desapontada e toma cuidado para nunca mais ser enganada por ele. Mas quando você se decepciona com um homem que sempre se pautou pela verdade — e em cuja maneira de encarar as coisas você acreditava —, você não fica apenas ressabiada, fica sem nada. Acho que é por isso que estou a ponto de enlouquecer..."

— Nova York? Está como sempre.

Jean Louise virou-se para sua inquisidora, uma jovem com um chapéu pequeno, um rosto pequeno e dentes pequenos e pontudos. Era Claudine McDowell.

— Fletcher e eu estivemos lá na primavera passada e tentamos achar você o tempo todo.

"Aposto que tentaram."

— Gostaram da cidade? Não diga nada, deixe-me adivinhar: adoraram, mas nunca pensariam em morar lá.

Claudine mostrou seus dentinhos de rato.

— Exato! Como você sabe?

— Sou paranormal. Conheceram o centro?

— Ah, sim. Fomos às casas noturnas Latin Quarter e Copacabana, assistimos ao musical *Um pijama para dois*. Foi a primeira vez que fomos ao teatro e ficamos bem desapontados. Todas as peças são assim?

— Quase todas. Subiram ao topo daquele prédio?

— Não, mas fomos ao Radio City. Você sabe, dava para morar naquele lugar. Assistimos a um espetáculo no Radio City Music Hall e, Jean Louise, acredita que um cavalo entrou no palco?

Jean Louise respondeu que não ficava surpresa.

— Fletcher e eu ficamos contentes de voltar para casa. Não sei como você consegue morar lá. Fletcher gastou mais dinheiro em duas semanas lá do que gastamos em seis meses aqui. Ele disse que não entende como as pessoas podem viver naquele lugar se poderiam ter uma casa com jardim por muito menos aqui.

"Pois vou lhe dizer: em Nova York, você pode ser você. Pode estender os braços e abraçar toda Manhattan em meio à doce solidão, ou pode ir para o inferno, se quiser."

— Bom, leva um tempo considerável para se acostumar. Eu detestei durante dois anos. A cidade me intimidava diariamente, até uma manhã em que me empurraram dentro de um ônibus e eu empurrei de volta. Depois disso, me dei conta de que tinha me tornado parte daquilo.

— Brutos, é o que eles são; não têm modos — concluiu Claudine.

— Têm modos, sim, Claudine. Só são diferentes dos nossos. A pessoa que me empurrou no ônibus esperava que eu empurrasse de volta. Era o que eu devia fazer; faz parte do jogo. Não existe gente melhor do que os nova-iorquinos.

Claudine franziu os lábios.

— Bem, eu não gostaria de me misturar com todos aqueles italianos e porto-riquenhos. Um dia, em um restaurante, olhei em volta e vi que tinha uma negra almoçando bem ao meu lado, ao meu *lado*. Claro que eu sabia que ela podia fazer isso, mas fiquei chocada.

— Ela fez alguma coisa contra você?

— Claro que não, levantei logo e fui embora.

— Sabe — Jean Louise disse calmamente —, lá eles andam livremente por toda parte, todo tipo de gente.

Claudine deu de ombros.

— Não sei como você consegue conviver com essa gente.

— Não faz diferença. Você trabalha com eles, come com eles ou ao lado deles, anda de ônibus com eles e só se dá conta da presença deles se quiser. Só percebo que tem um negro grande e gordo sentado ao meu lado no ônibus na hora em que me levanto para sair. Você simplesmente não nota.

— Pois eu notei. Você deve ser cega ou alguma coisa assim.

"Cega, é o que eu sou. Nunca abri os olhos. Nunca pensei em enxergar o coração das pessoas, só olho para o seu rosto. Completamente cega... O sr. Stone. Ontem o sr. Stone colocou um vigia na igreja. Devia ter me dado um também. Preciso de um vigia que me guie e me diga o que ele vê, hora após hora. Preciso de um vigia que me diga que um homem diz uma coisa, mas na verdade quer dizer outra. Que trace uma linha divisória e diga que de um lado está uma justiça e do outro lado outra, e me faça entender a diferença. Preciso de um vigia que diga para todos eles que vinte e seis anos é muito tempo para fazer piada com alguém, por mais engraçada que seja."

14

— Tia — disse Jean Louise, depois que elas conseguiram arrumar o desastre daquela manhã —, se não for usar o carro, vou à casa do tio Jack.

— A única coisa que quero é tirar um cochilo. Não vai almoçar?

— Não, senhora. Tio Jack faz um sanduíche para mim ou algo assim.

— É melhor não contar com isso. Ele come cada vez menos.

Ela parou o carro na entrada da garagem do dr. Finch, subiu a larga escada diante da casa, bateu na porta e entrou, cantarolando com voz estridente:

> *O velho tio Jack com sua bengala e tudo mais*
> *Quando era jovem, dançava demais,*
> *Somava os impostos das vendas...*

A casa do dr. Finch era pequena, mas o corredor da frente era enorme. Houve um tempo em que o corredor era uma passagem aberta entre os dois lados da casa, mas o dr. Finch fechou-o e colocou estantes de livros ao longo das paredes.

— Ouvi isso, sua pilantrinha — gritou ele dos fundos da casa. — Estou na cozinha.

Ela atravessou o corredor e entrou no que um dia tinha sido uma varanda aberta e agora era uma espécie de escritório, como quase todos os cômodos da casa. Jean Louise nunca tinha visto uma casa que refletisse tanto a personalidade do dono. Em meio à ordem prevalecia uma etérea desordem, pois o dr. Finch mantinha a casa impecavelmente limpa, mas os livros tendiam a se acumular em pilhas onde quer que ele se sentasse e, como tinha o hábito de se sentar onde lhe desse na telha, havia pequenas pilhas de livros por toda a casa, nos cantos mais improváveis, para tormento da faxineira. Ele não deixava que ela tocasse nos livros e, ao mesmo tempo, exigia que a casa estivesse imaculada, então a pobre criatura era obrigada a passar o aspirador, limpar e lustrar em volta das pilhas. Um dia, uma coitada se distraiu, tirou do lugar os *Pré-tratados de Oxford*, de Tuckwell, e o dr. Finch a ameaçou empunhando uma vassoura.

Quando o tio apareceu, Jean Louise concluiu que as modas podiam ir e vir, mas o tio e Atticus iam continuar usando colete para sempre. O dr. Finch estava sem paletó, com a velha gata Rose Aylmer nos braços.

— Onde você se meteu ontem? Esteve no rio outra vez? — perguntou, olhando sério para ela. — Mostre a língua.

Jean Louise pôs a língua para fora, e o dr. Finch colocou Rosy Aylmer na dobra do braço direito, enfiou a mão no bolso do colete, tirou os óculos meia-taça, sucudiu-os para que abrissem e colocou-os.

— Bom, não precisa ficar com a língua de fora para sempre, pode fechar a boca — disse ele. — Você está com péssima aparência. Vamos para a cozinha.

— Não sabia que você usava óculos meia-taça, tio — observou Jean Louise.

— Ah... Percebi que estava desperdiçando dinheiro.

— Como?

— Olhando por cima dos meus antigos óculos. Estes custam a metade.

No meio da cozinha do dr. Finch havia uma mesa e sobre ela, em um pires, uma solitária sardinha sobre um biscoito salgado.

Jean Louise ficou boquiaberta.

— Este é o seu almoço? Sinceramente, tio, o senhor pode ser mais excêntrico?

Dr. Finch puxou um banquinho alto para a mesa, e colocou Rose Aylmer nele e disse:

— Não. E sim.

Jean Louise e o tio sentaram-se à mesa. Ele pegou o biscoito com a sardinha e ofereceu para Rose Aylmer, que mordiscou, abaixou a cabeça e mastigou.

— Ela come como um ser humano — comentou Jean Louise.

— Espero ter ensinado boas maneiras a ela — disse o dr. Finch. — Ela já está tão velha que tenho de dar comida aos poucos.

— Por que não a sacrifica?

O dr. Finch olhou para a sobrinha, indignado.

— Por que eu faria isso? Qual é o problema com ela? Ainda vai viver uns dez anos.

Jean Louise concordou em silêncio e desejou, guardadas as devidas proporções, ter a mesma boa aparência de Rose Aylmer quando tivesse a mesma idade que ela. O pelo amarelo estava em excelente estado, continuava em boa forma, e os olhos eram brilhantes. Passava quase todo o tempo dormindo e, uma vez ao dia, o dr. Finch passeava com ela na coleira pelo quintal.

O dr. Finch convenceu pacientemente a velha bichana a comer o almoço e, quando ela terminou, foi até um armário em cima da pia e pegou um frasco cuja tampa era um conta-gotas. Extraiu com o conta-gotas uma boa quantidade de líquido, pousou o frasco, inclinou a cabeça da gata para trás e mandou-a abrir a boca. Rose Aylmer obedeceu. Engoliu o líquido e balançou a cabeça. O dr. Finch colocou mais líquido no conta-gotas e disse para Jean Louise:

— Abra a boca.

Jean Louise engoliu o líquido e balbuciou:

— Deus do céu, o que era isso?

— Vitamina C. Quero que deixe Allen dar uma examinada em você.

Jean Louise concordou e perguntou ao tio o que ele andava lendo no momento. Ele se inclinou sobre o forno e respondeu:

— Sibthorp.

— Quem?

O dr. Finch tirou do forno uma saladeira de madeira que, para surpresa de Jean Louise, estava repleta de verduras. "Espero que o forno não estivesse aceso."

— Sibthorp, menina. Sibthorp — repetiu. — Richard Waldo Sibthorp, padre católico romano. Enterrado com todas as honras da Igreja Anglicana. Ainda não encontrei ninguém igual. Altamente significativo.

Jean Louise estava acostumada com a taquigrafia intelectual do tio, que costumava enunciar um ou dois fatos isolados e em seguida uma conclusão que não parecia derivar deles. Lentamente e com segurança, se fosse incentivado da forma correta, o dr. Finch desenrolava o carretel de sua estranha erudição, revelando um raciocínio que brilhava com uma luz própria e singular.

Mas ela não estava ali para se distrair com as dúvidas de um esteta vitoriano menor. Observou o tio misturar verduras, azeite, vinagre e vários ingredientes que ela desconhecia com a mesma precisão e segurança que demonstrava em uma osteotomia complicada. Dividiu a salada em dois pratos e disse:

— Coma, menina.

O dr. Finch mastigou com ferocidade seu almoço e observou como a sobrinha arrumava no prato alface, pedaços de abacate, pimentão verde e cebola em uma fileira organizada.

— Muito bem, qual é o problema? Está grávida?

— Santo Deus, não, tio.

— Essa é praticamente a única coisa que me ocorre que pode preocupar uma jovem hoje em dia. Quer me contar qual é o problema? — A voz dele se suavizou. — Vamos, minha pequena Scout.

Jean Louise ficou com os olhos embaçados de lágrimas.

— O que aconteceu, tio Jack? Qual é o problema com Atticus? Acho que Hank e a tia Alexandra ficaram loucos, e tenho certeza de que eu também estou ficando.

— Não notei nada de diferente neles. Deveria?

— Devia ter visto os dois naquela reunião ontem...

Jean Louise olhou para o tio, que se balançava perigosamente, equilibrado nas pernas traseiras da cadeira. Apoiou as mãos na mesa para se firmar, a expressão incisiva se suavizou, as sobrancelhas se elevaram e ele riu alto. As pernas dianteiras da cadeira bateram no chão com estrépito e ele riu mais ainda.

Jean Louise ficou irritada. Levantou-se da mesa, derrubou a cadeira, levantou-a e foi em direção à porta.

— Não vim aqui para que ria de mim, tio Jack — avisou.

— Vamos, sente aí e fique quieta — mandou o tio.

Ele olhou para ela com genuíno interesse, como se ela fosse algo sob as lentes de um microscópio, alguma maravilha da medicina que, por acaso, houvesse se materializado na cozinha dele.

— Jamais pensei que o bom Deus fosse me permitir viver para ver alguém chegar no meio de uma revolução e, com ar lúgubre, perguntar o que está acontecendo. — Ele riu de novo, balançando a cabeça. — Quer saber qual é o problema, menina? Vou lhe dizer, desde que se contenha e pare de se comportar como... hum!... Eu me pergunto se os seus olhos e ouvidos mantêm algum contato com o seu cérebro que não sejam ocorrências espasmódicas. — Ele ficou sério. — Você não vai gostar de algumas coisas.

— Não me interessa o que seja, tio Jack, só me diga por que meu pai se tornou um racista.

— Dobre a língua — disse o dr. Finch com severidade. — Jamais diga isso do seu pai. Detesto o som dessa palavra tanto quanto seu significado.

— Como devo chamá-lo, então?

O tio deu um profundo suspiro. Foi até o fogão e acendeu o queimador da frente, onde estava a cafeteira.

— Vamos analisar esse assunto com calma — disse ele.

Quando ele se virou, Jean Louise viu a indignação em seu olhar ser substituída pelo deleite e em seguida se transformar em uma expressão que ela não conseguia interpretar. Ouviu o tio murumurar:

— Ah, Deus, ah, meu Deus, o romance precisa contar uma história.

— O que quer dizer com isso? — ela perguntou.

Sabia que ele estava citando algum autor, mas não sabia qual, não sabia por que, nem queria saber. O tio conseguia levá-la ao limite da irritação quando queria e, pelo jeito, era o que tinha decidido fazer, e ela não gostou.

— Nada. — Ele se sentou e começou a falar ponderadamente: — Querida, em todo o Sul do país, seu pai e homens como ele estão lutando em uma espécie de retaguarda, adiando a ação para preservar um tipo de filosofia que quase foi pelo ralo...

— Se está se referindo ao que ouvi ontem, me poupe.

O dr. Finch levantou o olhar.

— Está muito enganada se acha que seu pai está querendo que os negros fiquem no lugar deles.

Jean Louise levantou as mãos e a voz:

— O que diabos eu devo pensar? Fiquei enojada, tio Jack. Completamente enojada...

O tio coçou a orelha.

— Em algum momento certamente lhe ensinaram alguns fatos e nuances históricos...

— Tio Jack, não venha com essa conversa... A guerra não tem nada a ver com isso.

— Pelo contrário, tem muito a ver, se você quiser entender. A primeira coisa que precisa entender é algo que... meu Deus, tão importante... até hoje três quartos do país não entendeu. Que tipo de pessoas éramos, Jean Louise? Que tipo de pessoas somos? De quem somos mais próximos neste mundo?

— Pensei que fôssemos apenas gente. Não faço ideia.

O tio sorriu e um brilho irreverente surgiu em seus olhos. "Ele agora vai começar a divagar", ela pensou. "Nunca consigo fazer com que ele vá direto ao ponto."

— Pense no condado Maycomb — sugeriu o dr. Finch. — É um lugar típico do Sul. Nunca estranhou o fato de que quase todo mundo aqui é parente ou quase parente um do outro?

— Tio, como uma pessoa pode ser quase parente de outra?

— É simples. Lembra-se de Frank Buckland, não?

Contra a vontade, Jean Louise sentia que estava sendo lenta e furtivamente enredada na teia do dr. Finch. "Ele é uma velha aranha incrível, mas, ainda assim, uma aranha." Ela se aproximou dele e perguntou:

— Frank Buckland?

— O naturalista. O que levava peixes mortos na maleta e tinha um chacal em casa.

— Sim?

— Lembra-se de Matthew Arnold, não?

Ela respondeu que sim.

— Pois Frank Buckland era filho do irmão do marido da irmã do pai de Matthew Arnold, portanto, os dois eram quase parentes, entendeu?

— Sim, senhor, mas...

O dr. Finch olhou para o teto.

— Meu sobrinho Jem — ele disse, devagar — não ia se casar com a prima em segundo grau da mulher do filho do seu tio-avô?

Ela colocou as mãos sobre os olhos e se concentrou.

— Ia — disse por fim. — Tio Jack, acho que você fez apenas uma inferência sem lógica, mas não tenho certeza.

— Dá na mesma, na verdade.

— Mas não entendo a relação entre uma coisa e outra.

O dr. Finch apoiou as mãos na mesa.

— É porque você não parou para observar, nunca abriu os olhos.

Jean Louise se sobressaltou.

— Jean Louise — continuou o tio —, atualmente vive no condado Maycomb um correspondente de cada idiota celta, inglês e saxão que já existiu. Lembra-se do deão Stanley, não?

Eis que voltavam os dias de horas intermináveis, ela sentada ali, naquela casa, diante da lareira acesa, ouvindo o tio ler livros mofados. A voz dele soava grave como um grunhido, como sempre, ou se tornava subitamente aguda quando não conseguia conter uma risada. Lembrou-se vagamente do clérigo distraído, miúdo e de cabelos macios, ao lado da dedicada mulher.

— Você não acha que ele lembra Fink Sewell?

— Não, senhor — respondeu ela.

— Pense, menina. Pense. Já que não está pensando, vou dar uma pista. Quando Stanley era deão de Westminster, quase desenterrou os defuntos da abadia à procura de Jaime I.

— Meu Deus! — ela exclamou.

Durante a Depressão, o sr. Finckney Sewell, antigo morador de Maycomb conhecido por suas ideias independentes, desenterrou o próprio avô e arrancou todos os dentes de ouro dele para pagar uma hipoteca. Quando o xerife o prendeu por violação de sepultura e apropriação indevida de ouro, o sr. Fink argumentou que, se o avô não era dele, de quem era? O xerife explicou que o velho sr. M. F. Sewell estava enterrado em um terreno público, mas o sr. Fink retrucou que, na opinião dele, a sepultura no cemitério era dele, o avô era dele e os dentes do avô também, e se recusou a ir preso. A opinião pública de Maycomb ficou ao lado dele: era um homem honrado e estava se esforçando para pagar suas dívidas. A lei então o deixou em paz.

— Stanley tinha as razões históricas mais elevadas para fazer a escavação — continuou o dr. Finch —, mas os dois pensavam exatamente igual. Não se pode negar que ele convidou todos os hereges que viu pela frente para pregar na abadia. Acho que uma vez deu comunhão à sra. Annie Besant. E você lembra como ele apoiou o bispo Colenso.

Ela lembrava. O bispo Colenso, cujos pontos de vista sobre qualquer assunto eram considerados descabidos em sua época e arcaicos nos dias atuais, era o bichinho de estimação do deão. Colenso era alvo de discussões acaloradas onde o clero se reunisse, e certa vez, durante um sínodo, Stanley fez um discurso inflamado em defesa dele, perguntando se a congregação estava ciente de que Colenso tinha sido o único bispo das colônias que se dera o trabalho de traduzir a Bíblia para o zulu, o que era muito mais do que qualquer um deles tinha feito.

— Fink era muito parecido com Colenso — disse o dr. Finch. — Assinava o *Wall Street Journal* no auge da Depressão e ai de quem ousasse dizer uma palavra a respeito. — O dr. Finch riu. — Jake Jeddo, funcionário dos correios, quase tinha uma síncope toda vez que entregava a correspondência.

Jean Louise olhava fixamente para o tio. Estava sentada ali na cozinha dele, em plena Era Nuclear, e nas profundezas de sua consciência sabia que o dr. Finch estava absolutamente certo em suas comparações.

— ... bem parecido com ele — continuou dizendo o dr. Finch. — Ou pensemos em Harriet Martineau...

Jean Louise teve a impressão de estar imersa nas águas do Lake District, lutando para manter a cabeça fora d'água.

— Lembra-se da sra. E. C. B. Franklin?

Sim, se lembrava. Buscou na memória a srta. Martineau, mas a sra. E. C. B. foi fácil de lembrar: usava gorro de crochê, vestido de crochê, que deixava entrever a roupa de baixo de crochê rosa, e meias de crochê. Todos os sábados, a sra. E. C. B. percorria a pé os cinco quilômetros que separavam sua fazenda, que se chamava Cape Jessamine Copse, da cidade. A sra. E. C. B. escrevia poesia.

— Você se lembra das poetas menores? — perguntou o dr. Finch.

— Sim, senhor — ela respondeu.

— E então?

Quando criança, tinha trabalhado por um tempo como moça de recados na redação da *Maycomb Tribune* e assistiu a muitas discussões, inclusive a derradeira, entre a sra. E. C. B. e o sr. Underwood, que era um impressor antiquado e não aceitava publicar bobagens. Trabalhava o dia todo numa enorme máquina de linotipo preta e, de tempos em tempos, refrescava-se com uma jarra de um inofensivo licor de cereja. Um sábado, a sra. E.C. B. entrou na gráfica com um texto que o sr. Underwood se recusou a publicar, alegando que não ia expor o jornal ao ridículo. Era o poema-obituário de uma vaca, que começava assim:

Ruminante, agora tão distante,
Com seus grandes olhos brilhantes...

Além disso, continha graves violações da doutrina cristã. O sr. Underwood disse:

— Vacas não vão para o céu.

Ao que a sra. E. C. B. retrucou:

— Pois essa foi — e começou a explicar o que era licença poética.

O sr. Underwood, que já tinha publicado elegias fúnebres de todo tipo, insistiu que ainda assim não podia publicar aquela, pois era blasfêmia e não tinha métrica. Furiosa, a sra. E. C. B. pegou uma caixa de tipos e espalhou as letras do anúncio dos supermercados Biggs pela gráfica inteira. O sr. Underwood bufou como uma baleia, deu um bom gole no licor e xingou-a até chegar à praça do tribunal. Depois disso, a sra. E.C.B. passou a escrever poemas apenas para sua própria edificação espiritual. O condado lastimou a perda.

— Agora está disposta a admitir que há uma certa ligação, ainda que tênue, não necessariamente entre dois excêntricos, mas com uma... hum, com uma mentalidade geral que existe em certos ambientes do outro lado do oceano?

Jean Louise se deu por vencida.

O dr. Finch disse, mais para ele mesmo do que para a sobrinha:

— Na década de 1770, de onde vinham as ordens mais candentes?

— Do Estado da Virgínia — respondeu Jean Louise, confiante.

— E na década de 1940, antes de entrarmos na guerra, o que fazia com que todos os sulistas ficassem especialmente horrorizados ao lerem os jornais e ouvirem as notícias? Um sentimento tribal, querida, era o que havia no fundo. Os ingleses podiam ser uns filhos da puta, mas eram os nossos filhos da puta... — O dr. Finch se conteve. — Pense em antes ainda — disse, animado. — Volte ao início do século XIX na Inglaterra, antes de algum perverso inventar as máquinas. Como era a vida lá?

— Uma sociedade de nobres e mendigos... — Jean Louise respondeu automaticamente.

— Ah, você não está tão corrompida quanto pensei, se ainda consegue se lembrar de Caroline Lamb*, coitada. Mas você ainda não entendeu tudo: na época, a Inglaterra era uma sociedade sobretudo agrária, com alguns proprietários de terras e milhares de arrendatários. E como era o Sul antes da guerra?

— Uma sociedade agrária, com alguns grandes proprietários de terras e milhares de camponeses sujos e escravos.

— Certo. Deixemos os escravos de lado por um momento, o que temos? Dúzias de Wade Hamptons e milhares de pequenos proprietários de terras e arrendatários. O Sul dos Estados Unidos era uma pequena Inglaterra na herança e na estrutura social. Agora me diga: o que bate no coração de todo anglo-saxão (não faça essa cara, sei que hoje em dia isso é considerado um palavrão), não importa qual seja sua posição social, nem quais sejam as barreiras impostas por sua ignorância, depois que pararam de se pintar de azul?

— Eles são orgulhosos e um pouco teimosos.

— Está certíssima. E o que mais?

— Eu... não sei.

— O que fez do pequeno e esfarrapado Exército Confederado o último do seu gênero? Por que era tão fraco e ao mesmo tempo tão forte que realizava milagres?

— Hum... por causa de Robert E. Lee?

— Céus, menina! — berrou ele. — Porque era um exército formado por indivíduos! Saíram de suas fazendas e foram para a guerra!

Como se estudasse um espécime raro, o dr. Finch colocou os óculos, inclinou a cabeça para trás e olhou para ela.

---

* Caroline Lamb (1785-1828) foi uma aristocrata e romancista inglesa.

— Nenhuma máquina — disse ele —, quando é reduzida a pó, consegue se recompor e voltar a funcionar, mas aqueles ossos secos se levantaram e marcharam, e como marcharam! Por quê?

— Acho que por causa dos escravos, dos impostos e tal. Nunca parei para pensar nisso.

— Santo Deus — o dr. Finch disse baixinho.

Fez um visível esforço para se controlar indo até o fogão e silenciando a cafeteira. Serviu duas xícaras de café preto e escaldante e levou-as para a mesa.

— Jean Louise — ele disse com frieza. — Pouco mais de cinco por cento da população do Sul já tinha visto um escravo, muito menos tido um. Então, algo deve ter irritado os outros noventa e cinco por cento.

Jean Louise continuou olhando para o tio sem entender.

— Alguma vez já lhe passou pela cabeça... Em algum momento já teve a sensação remota de que essa parte do país é uma nação à parte? Que, apesar de seus elos políticos, é uma nação com seu próprio povo que existe dentro de outra nação? Uma sociedade extremamente paradoxal, com desigualdades alarmantes, mas com a honra de milhares de pessoas cintilando na noite como vaga-lumes? Nenhuma guerra jamais foi travada por tantos motivos distintos que convergiram em um único motivo, claro como um cristal: eles lutaram para preservar sua identidade. A identidade política e individual. — A voz do dr. Finch se suavizou. — Hoje, com aviões a jato e overdoses de tranquilizantes, parece quixotesco que um homem participe de uma guerra por algo tão insignificante quanto o seu estado. — Ele piscou. — Não, Scout, aquelas pessoas maltrapilhas e ignorantes lutaram até serem quase dizimadas para manter algo que hoje parece ser privilégio exclusivo de artistas e músicos.

Jean Louise fez um esforço desesperado para acompanhar o raciocínio do tio:

— Isso foi há quase... um século, tio.

O dr. Finch sorriu.

— Foi mesmo? Depende de como você encara a situação. Se estivesse sentada em uma calçada em Paris, poderia dizer que sim, sem dúvida. Mas pense melhor. Os sobreviventes daquele pequeno exército tiveram filhos... Céus, e como eles se reproduziram... E o Sul passou pela Reconstrução com uma única mudança política permanente: não havia mais escravidão. As pessoas continuaram a ter o mesmo de antes, e, em alguns casos, passaram a ter espantosamente mais. Não foram destruídas. Foram reduzidas a pó e se reergueram. Daí surgiu *A estrada do tabaco* e o pior e mais vergonhoso de tudo: a estirpe de homens brancos que vivia em franca competição econômica com os negros libertos. Durante anos e anos, esse homem branco se achou melhor do que seus irmãos negros apenas por causa da cor da pele. Era tão sujo e fedido quanto os negros, tão pobre quanto eles. Hoje, ele tem mais dinheiro do que jamais teve na vida, tem tudo, menos educação, libertou-se de todos os estigmas, mas continua alimentando sua ressaca de ódio...

O dr. Finch se levantou e serviu mais café. Jean Louise ficou olhando para ele. "Meu Deus", pensou ela, "meu avô lutou nessa guerra. O pai dele e de Atticus. Não passava de uma criança. Viu os corpos empilhados e o sangue correndo em pequenos córregos pela colina de Shiloh..."

— Pois bem, Scout — prosseguiu o tio. — Neste exato momento, uma filosofia política alheia vem sendo imposta ao Sul, e o Sul não está preparado para ela... Por isso estamos metidos de novo no mesmo atoleiro. Não há dúvida de que a história está se repetindo e, tão certo quanto o homem é homem, a história é o último lugar em que as pessoas vão buscar respostas. Espero que desta vez Deus permita que a Reconstrução não seja sangrenta.

— Não entendi.

— Veja o restante do país. Faz tempo que se afastou do Sul no que se refere à mentalidade. O conceito de propriedade, legitimado pelo tempo e pela lei, o interesse de um homem em sua propriedade e os seus deveres em relação a ela, tudo isso está quase extinto. A atitude das pessoas em relação aos deveres do governo mudou. Os despossuídos se rebelaram e passaram a exigir seu quinhão, por vezes mais do que o seu quinhão... Os que têm estão impedidos de ter mais.

Você está protegido dos ventos gélidos da velhice não por vontade própria, mas por um governo que diz que você não sabe se cuidar, por isso ele vai obrigá-lo a poupar. Todo tipo de pequenas coisas estranhas como essa se tornaram parte intrínseca do governo deste país. Os Estados Unidos é um venturoso novo mundo na Era Nuclear e o Sul está apenas começando a Revolução Industrial. Não viu uma nova classe social surgir por aqui nos últimos sete ou oito anos?

— Nova classe?

— Céus, menina! Onde estão os camponeses arrendatários? Nas fábricas. Onde estão os trabalhadores do campo? No mesmo lugar. Já reparou quem são os moradores daquelas casinhas brancas do outro lado da cidade? É a nova classe social de Maycomb. Os mesmos meninos e meninas que frequentaram a escola com você e cresceram em pequenas chácaras. A sua geração. — Dr. Finch empinou o nariz. — Essas pessoas são as meninas dos olhos do governo federal, que lhes empresta dinheiro para construírem suas casas, lhes proporciona educação gratuita em troca de servirem ao exército, cuida para que tenham uma velhice tranquila e, se ficam desempregados, sustenta-os por várias semanas...

— Tio Jack, o senhor é um velho cínico.

— Cínico, nada. Sou um velho saudável, que tem uma desconfiança nata em relação ao paternalismo e ao governo administrados em grandes doses. Seu pai também é assim...

— Se me disser que o poder tende a corromper e o poder absoluto corrompe absolutamente, jogo esse café em você.

— Só o que temo em relação a este país é que um dia o governo se torne tão monstruoso que as pessoas menos importantes serão esmagadas, e então não vai mais valer a pena viver aqui. A única coisa nos Estados Unidos que ainda é única neste mundo esgotado é que uma pessoa pode chegar tão longe quanto tenha capacidade de chegar ou pode ir para o inferno se assim desejar; mas as coisas não vão continuar assim por muito mais tempo. — Ele sorriu como uma simpática doninha.

— Lorde Melbourne disse certa vez que os únicos deveres do governo são combater o crime e assegurar o cumprimento dos contratos, ao que vou acrescentar mais uma coisa, uma vez que, infelizmente, vivo no século XX: proporcionar recursos para a defesa comum.

— É uma afirmação nebulosa.

— É verdade. Nos dá muita liberdade.

Jean Louise apoiou os cotovelos na mesa e passou os dedos pelos cabelos. Tinha alguma coisa errada com ele. Estava deliberadamente fazendo algum apelo eloquente e silencioso para ela, mas evitava deliberadamente o assunto. Simplificava demais aqui, escapulia ali, esquivando-se e usando de evasivas. Ela se perguntou por quê. Era tão fácil ouvi-lo, se deixar embalar por suas palavras suaves, que ela não sentiu a ausência dos gestos enfáticos e dos inúmeros hums e ahs que costumavam pontuar as conversas dele. Não sabia que ele estava extremamente preocupado.

— Tio Jack — disse ela —, o que isso tem a ver com a história, e você sabe exatamente a que estou me referindo.

— Ah — disse ele, ruborizando. — Está ficando esperta, não?

— Esperta o bastante para perceber que as relações entre negros e brancos estão piores do que jamais vi na vida. Aliás, você não as mencionou nem uma vez. Esperta o bastante para querer saber o que faz a sua santa irmã agir como tem agido; esperta o bastante para querer saber o que diabos aconteceu com o meu pai.

O dr. Finch juntou as mãos e colocou-as sob o queixo.

— O nascimento de um ser humano é muito desagradável. É confuso, extremamente doloroso e, às vezes, arriscado. E é sempre sangrento. O mesmo vale para a civilização. O Sul está sofrendo suas derradeiras dores do parto. Está dando à luz algo novo, que não sei se aprecio, mas não vou estar aqui para ver. Você vai. Homens como eu e meu irmão estão ultrapassados, e temos que ser deixados para trás, mas é uma pena que levemos conosco as coisas mais importantes dessa sociedade... que tinha algumas coisas muito boas.

— Pare de enrolar e responda a minha pergunta!

Dr. Finch se levantou, debruçou-se sobre a mesa e olhou para ela. Os vincos do nariz iam até a boca e formavam um duro desenho trapezoidal. Os olhos faiscavam, mas a voz continuava tranquila:

— Jean Louise, quando um homem se vê diante de uma arma de cano duplo, agarra a primeira coisa que encontra para se defender, seja uma pedra, um pedaço de lenha ou um Conselho de Cidadãos.

— Isso não é resposta!

Dr. Finch fechou os olhos, voltou a abri-los e olhou para a mesa. Tirou os óculos e guardou-os no bolso do colete.

— Tio Jack, você fez um belo volteio, e é a primeira vez que o vejo fazer algo assim. Sempre me deu uma resposta clara a tudo o que perguntei. Por que não faz o mesmo agora?

— Por que não posso. Não está em meu poder, nem é da minha competência fazer isso.

— Nunca o ouvi falar assim.

O dr. Finch abriu a boca e voltou a fechá-la. Pegou a sobrinha pelo braço, levou-a para o cômodo ao lado e parou diante de um espelho de moldura dourada.

— Olhe para você — ele disse.

Ela obedeceu.

— O que vê?

— Nós dois — ela respondeu olhando para o reflexo do tio e disse:

— Sabe, tio Jack, você é bem bonito de um jeito horrível.

Ela viu os últimos cem anos se apossarem do tio por um instante. Ele fez um misto de cumprimento e concordância e disse:

— É muito gentil da sua parte, senhorita. — Ficou atrás dela e segurou-a pelos ombros. — Olhe para você. É só o que posso dizer. Veja seus olhos, seu nariz, seu queixo. O que vê?

— Vejo eu mesma.

— Eu vejo duas pessoas.

— Está se referindo à moleca de ontem e à mulher de hoje?

Ela viu o reflexo do dr. Finch negar com a cabeça.

— Não, menina. As duas estão aí, é verdade, mas não é o que eu quero dizer.

— Tio Jack, não sei por que você resolve desaparecer em meio à neblina...

O dr. Finch coçou a cabeça, e um tufo de cabelos grisalhos se eriçou.

— Desculpe — disse ele —, continue. Continue e faça como quiser. Não posso nem devo impedi-la, Childe Roland. Mas é uma questão tão complicada e arriscada. Uma questão tão sangrenta...

— Tio Jack, querido, volte para a Terra...

O dr. Finch olhou para ela e se aproximou.

— Jean Louise, quero que ouça com atenção. O assunto do qual falamos hoje... Quero lhe dizer uma coisa e ver se você consegue alinhavar tudo. É o seguinte: o que era secundário na nossa Guerra Civil é secundário na guerra que estamos travando agora, e também é secundário na sua guerra particular. Agora pense bem e me diga o que acha que eu quero dizer.

O dr. Finch esperou.

— Você fala como um dos Profetas Menores — ela disse.

— Foi o que pensei. Então ouça de novo: quando não aguentar mais, quando seu coração estiver dividido em dois, me procure. Entendeu? Você tem que me procurar. Prometa. — Ele a sacudiu. — Prometa.

— Sim, senhor, prometo, mas...

— Agora, suma daqui — disse o tio. — Vá a algum lugar dar uns beijos no Hank. Tenho coisas mais importantes a fazer...

— Mais importantes do que o quê?

— Não é da sua conta. Vá.

Enquanto descia a escada, Jean Louise não viu o dr. Finch morder o lábio inferior, ir até a cozinha e alisar o pelo de Rose Aylmer, nem voltar para o escritório com as mãos nos bolsos e andar de um lado para o outro até, finalmente, pegar o telefone.

SEXTA PARTE

15

"Doido, doido, doido de pedra. Bom, todos os Finch são assim. A diferença entre o tio Jack e o resto da família é que ele sabe que é doido."

Ela estava sentada a uma mesa na parte de trás da sorveteria do sr. Cunningham, tomando sorvete em um copinho de papel. O sr. Cunningham, um homem de palavra, tinha dado a ela uma bola de sorvete grátis por ter adivinhado o nome dele no dia anterior. Essa era uma das pequenas coisas que ela adorava em Maycomb: as pessoas cumpriam suas promessas.

"Onde ele estava querendo chegar? *Prometa... o que é secundário... anglo-saxão... palavrão... Childe Roland.* Espero que ele não perca a sanidade nem a compostura, ou vão ter de interná-lo. Vive tão fora deste século que não vai ao banheiro, vai ao aposento sanitário. Doido ou não, porém, é o único que não fez nada nem disse nada... Por que voltei aqui? Só para sofrer mais um pouco, imagino. Para olhar o cascalho no quintal onde antes havia árvores, onde ficava a garagem, e me perguntar se foi tudo um sonho. Jem parava seu carro de pesca ali, desenterrávamos minhocas junto à cerca dos fundos, e uma vez plantei um broto de bambu ali e lutamos contra ele por vinte anos. O sr. Cunningham deve ter jogado sal no lugar onde o plantei, pois não o vejo mais."

Sentada ao sol da uma da tarde, ela reconstruiu na imaginação a casa, povoou o quintal com o pai, o irmão e Calpúrnia, colocou Henry do outro lado da rua e a srta. Rachel na casa ao lado.

Estavam nas duas últimas semanas de aula e ela ia ao primeiro baile de sua vida. Era tradição os alunos do último ano convidarem os irmãos e irmãs mais novos para o Baile de Formatura, realizado na noite anterior ao banquete dos calouros e veteranos, que acontecia sempre na última sexta-feira de maio.

O agasalho de futebol de Jem tinha ficado cada vez mais bonito: ele era o capitão do time e aquele foi o primeiro ano em que Maycomb venceu Abbottsville em treze temporadas. Henry era presidente da Sociedade de Debates dos alunos do último ano, a única atividade extracurricular para a qual tinha tempo, e Jean Louise era uma gordinha de catorze anos, mergulhada em poesia vitoriana e romances policiais.

Na época, estava na moda namorar habitantes da outra margem do rio, e Jem estava tão apaixonado por uma garota do condado Abbott que pensou seriamente em fazer o último ano da escola lá, mas foi impedido por Atticus, que foi categoricamente contra e consolou Jem emprestando dinheiro para ele comprar um Ford Modelo A coupe. Jem pintou o carro de preto brilhante e, com um pouco mais de tinta, conseguiu o efeito de pneus de banda branca. Polia a carroceria com esmero e todas as sextas-feiras à tarde ia rumo a Abbottsville, cheio de pose ao volante, ignorando o fato de que o carro parecia uma enorme máquina de moer café e que em todo lugar por onde passava os cachorros saíam latindo atrás.

Jean Louise tinha certeza de que Jem tinha feito algum acordo com Henry para que ele a levasse ao baile, mas não se importava. No começo, não queria ir, porém Atticus disse que seria estranho se as irmãs de todos os alunos estivessem lá, menos a de Jem. Garantiu que a festa seria divertida e que ela podia ir à Ginsberg's e comprar o vestido que quisesse.

Ela encontrou um modelo lindo. Branco, de mangas bufantes e uma saia que se inflava quando ela rodopiava. Tinha apenas um problema: ela ficava parecendo um pino de boliche.

Consultou Calpúrnia, que disse que ninguém podia fazer nada em relação ao corpo dela, que ela era daquele jeito e toda menina de catorze anos tinha mais ou menos aquele corpo mesmo.

— Mas eu pareço tão esquisita... — ela reclamou, puxando o decote.

— Você sempre parece esquisita — argumentou Calpúrnia.

— Quer dizer, é assim com qualquer vestido que use. Este não é diferente.

Jean Louise passou três dias preocupada. No dia do baile, foi de novo à Ginsberg's e comprou dois enchimentos de sutiã, voltou para casa e colocou-os.

— Olha agora, Cal — disse ela.

— Está do tamanho certo, mas não era melhor ir experimentando aos poucos?

— Como assim?

— Devia usar um pouco cada dia para ir se acostumando... agora é tarde — resmungou Calpúrnia.

— Ah, Cal, não seja boba.

— Bom, me dá aqui, vou costurar no sutiã.

No momento em que entregava os enchimentos a Calpúrnia, foi assaltada por uma lembrança repentina que a fez cravar os pés no chão.

— Ah, meu Deus... — sussurrou ela.

— Qual é o problema agora? — perguntou Calpúrnia. — Faz uma semana que você só pensa nisso. O que foi que esqueceu?

— Cal, acho que não sei dançar.

Calpúrnia pôs as mãos na cintura.

— Boa hora para se lembrar disso — disse ela, olhando o relógio da cozinha. — São quinze para as quatro.

Jean Louise correu para o telefone.

— Sessenta e cinco, por favor — pediu à telefonista.

Quando o pai atendeu, ela começou a chorar.

— Fique calma e fale com Jack — sugeriu Atticus. — Quando era jovem ele sabia dançar muito bem.

— Aposto que ele dançava um belo minueto — ela respondeu, mas ligou para o tio, que reagiu com entusiasmo.

O dr. Finch ensinou a sobrinha a dançar ao som da vitrola de Jem:

— Não tem mistério... É como jogar xadrez... Basta se concentrar... Não, não, não, encolha o traseiro... Não está jogando futebol americano... Detesto dança de salão... Parece um trabalho... Não tente me guiar... Se levar uma pisada do seu par, a culpa é sua por não ter tirado o pé... Não olhe para o chão... Não, não, não... Agora, sim... O básico, portanto não tente fazer firulas.

Depois de uma hora de intensa concentração, Jean Louise conseguiu aprender um simples dois para lá, dois para cá. Ela contava os passos mentalmente e admirava a capacidade do tio de falar e dançar ao mesmo tempo.

— Fique calma e vai fazer tudo certo — ele a tranquilizou.

Seus esforços foram recompensados por Calpúrnia, que lhe ofereceu um café e o convidou para o jantar, e ele aceitou ambas as ofertas. O dr. Finch ficou uma hora sozinho na sala até Atticus e Jem chegarem. A sobrinha se trancou no banheiro, onde ficou se banhando e dançando. Saiu de lá radiante, jantou de roupão e desapareceu no quarto sem notar como a família estava achando graça.

Enquanto se vestia, ouviu os passos de Henry na varanda da frente e achou que ele tinha ido buscá-la muito cedo, mas ele entrou no corredor e foi para o quarto de Jem. Ela passou Tangee Orange nos lábios, penteou os cabelos e abaixou a franja com um pouco da loção fixadora de Jem. Quando entrou na sala, o pai e o tio ficaram de pé.

— Você parece uma pintura — elogiou Atticus. E deu um beijo na testa dela.

— Cuidado para não despentear o meu cabelo — disse ela.

— Quer fazer um último ensaio? — perguntou o dr. Finch.

Henry encontrou os dois dançando na sala. Ficou surpreso ao ver a nova aparência de Jean Louise e, dando um tapinha no ombro do dr. Finch, perguntou:

— Pode me ceder a dama, senhor? Você está linda, Scout — elogiou. — Trouxe uma coisa para você.

— Você também está ótimo, Hank — retribuiu Jean Louise.

Henry estava usando suas melhores calças, de sarja azul, muito bem vincadas, e o paletó marrom tinha cheiro de tinturaria. Jean Louise reparou que ele estava usando a gravata azul clara de Jem.

— Você dança bem — disse Henry, e Jean Louise tropeçou.

— Não olhe para o chão, Scout! — zangou o dr. Finch. — Eu disse que é como carregar uma xícara com café: se olhar para ela, você derrama.

Atticus consultou o relógio de bolso.

— É melhor Jem se aprontar logo, se vai pegar Irene em casa. Aquele calhambeque dele não anda a mais de cinquenta.

Quando Jem apareceu, Atticus mandou-o trocar a gravata. Quando voltou, Atticus entregou a ele as chaves do carro da família, dinheiro e a recomendação de não passar dos oitenta quilômetros.

— O que acham — disse Jem, depois de admirar devidamente Jean Louise — de ir no Ford, assim não precisam me acompanhar até Abbottsville.

O dr. Finch mexeu nervosamente nos bolsos do paletó.

— Não me interessa nem um pouco como vocês vão — disse ele. — Apenas saiam de uma vez. Estão me deixando nervoso plantados aí tão enfatiotados. Jean Louise está começando a transpirar. Cal, venha cá.

Calpúrnia, que estava em pé discretamente no corredor, aprovou a cena com relutância. Ajeitou a gravata de Henry, tirou um fio invisível do paletó de Jem e chamou Jean Louise na cozinha.

— Acho que eu devia ter costurado estes enchimentos — disse, insegura.

Henry gritou que precisavam se apressar, senão o dr. Finch ia ter um enfarte.

— Vai dar tudo certo, Cal.

Ao voltar para a sala, Jean Louise encontrou o tio imerso em um torvelinho de impaciência reprimida, em absoluto contraste com o pai dela, que esperava tranquilo de pé, com as mãos nos bolsos.

— É melhor vocês irem. Alexandra vai chegar a qualquer momento... e aí sim vocês vão se atrasar — disse Atticus.

Estavam na varanda da frente quando Henry se deteve.

— Esqueci! — ele gritou, e correu para o quarto de Jem. Voltou com uma caixa, que entregou para Jean Louise com uma pequena reverência.

— Para você, srta. Finch — disse.

Dentro da caixa havia duas camélias cor-de-rosa.

— Ha-ank — gaguejou Jean Louise. — Você comprou!

— Encomendei em Mobile — disse Henry. — Chegaram no ônibus das seis da tarde.

— Onde vou colocá-las?

— Santo Deus, coloque no lugar onde devem ser colocadas! — explodiu o dr. Finch. — Venha cá!

Ele arrancou as camélias das mãos de Jean Louise e prendeu-as no ombro dela, observando com severidade seus peitos falsos.

— Será que agora podem fazer o favor de ir de uma vez?

— Esqueci a minha bolsa.

O dr. Finch pegou o lenço no bolso e passou-o no queixo.

— Henry, vá buscar essa porcaria — mandou ele. — Nós o esperamos na frente de casa.

Ela se despediu do pai, que disse:

— Espero que se divirta como nunca.

O ginásio da Escola Secundária do Condado Maycomb estava lindamente decorado com balões e faixas brancas e vermelhas de papel crepom. No fundo, havia uma mesa comprida com copos de papel, travessas de sanduíches e guardanapos em volta de duas tigelas de ponche com um líquido roxo. O piso do ginásio estava recém-encerado e as cestas de basquete, dobradas para cima. O palco estava decorado com folhagens e no centro, por nenhuma razão em particular, havia grandes letras de cartolina vermelha: ESCM.

— Está lindo, não está? — perguntou Jean Louise.

— Realmente lindo. Não parece maior quando não tem jogo? — perguntou Henry.

Juntaram-se a um grupo de irmãos e irmãs mais novos e mais velhos que estavam em volta das tigelas de ponche. Todos ficaram muito impressionados com Jean Louise. Garotas que ela via todos os dias perguntaram onde tinha comprado o vestido, como se todas não tivessem comprado os seus no mesmo lugar.

— Na Ginsberg's. Calpúrnia ajustou para mim — ela respondeu.

Alguns dos garotos mais jovens, com os quais ela vivia às turras até alguns anos antes, foram conversar com ela, acanhados.

Quando Henry entregou a ela uma taça de ponche, Jean Louise sussurrou:

— Se você quiser ficar com os alunos mais velhos, não tem problema.

Henry sorriu para ela.

— Você é o meu par, Scout.

— Eu sei, mas não precisa se sentir na obrigação...

Henry achou graça.

— Não me sinto na obrigação de nada. Eu quis trazer você ao baile. Vamos dançar.

— Está bem, mas vá com calma.

Ele a levou até o meio do salão. Dos alto-falantes usados durante os jogos soava uma música lenta e, contando metodicamente os passos em silêncio, Jean Louise cometeu apenas um erro durante toda a música.

No decorrer do baile, chegou à conclusão de que estava fazendo um moderado sucesso. Vários rapazes a convidaram para dançar e, quando ela dava sinais de que ia ficar sem par, Henry estava sempre por perto.

Teve o bom senso de recusar as danças mais complicadas e evitar as músicas de ritmo latino, e Henry disse que, quando ela aprendesse a dançar e conversar ao mesmo tempo, ia ser a rainha do baile. Ela desejou que aquela noite durasse para sempre.

A chegada de Jem e Irene causou frisson. Jem tinha sido eleito o mais bonito da turma do último ano, o que era compreensível: tinha os doces olhos castanhos da mãe, as sobrancelhas cerradas dos Finch e traços harmoniosos. Já Irene era o máximo da sofisticação. Estava usando um vestido justo de tafetá verde e sapatos de salto alto e, quando dançava, dezenas de pulseiras tilintavam em seus pulsos. Tinha belos olhos verdes, cabelos pretos e um sorriso fácil; era o tipo de garota pela qual Jem costumava se apaixonar com monótona regularidade.

Jem cumpriu a obrigação de dançar com Jean Louise, disse que ela estava ótima, mas com o nariz brilhando, ao que ela retrucou que ele estava com a boca borrada de batom. A música terminou e Jem deixou-a com Henry.

— Não consigo acreditar que você vai para o exército em junho — disse ela. — Dá a impressão que você é mais velho.

Henry abriu a boca para responder, mas de repente arregalou os olhos e a puxou para perto.

— O que foi, Hank?

— Não está achando quente aqui dentro? Vamos lá para fora.

Jean Louise tentou se desvencilhar, mas ele continuou a agarrá-la e foi dançando com ela até a porta lateral, por onde saíram.

— O que deu em você, Hank? Eu disse alguma coisa...

Ele tomou a mão dela e, rodeando o edifício, levou-a até a frente da escola.

— É... — disse Henry, segurando as mãos dela. — Querida, olhe para o seu peito.

— Está um breu, não consigo ver nada.

— Então passe a mão sobre a sua roupa.

Ela obedeceu e deu um grito abafado: o enchimento da direita estava no meio do peito e o outro, quase embaixo da axila esquerda. Ela os colocou de volta no lugar com um puxão e começou a chorar.

Sentou-se na escada da escola. Henry sentou-se ao lado dela e passou o braço em volta de seus ombros. Quando parou de chorar, ela perguntou:

— Quando foi que você percebeu?

— Juro que foi só agora.

— Você acha que as pessoas estavam rindo de mim faz tempo?

Henry negou com a cabeça.

— Acho que ninguém notou, Scout. Pense bem, Jem dançou com você pouco antes de mim e, se tivesse notado, certamente teria dito alguma coisa.

— Jem só pensa na Irene. Não conseguiria ver um ciclone diante do nariz. — Começou a chorar de novo, baixinho. — Nunca mais vou conseguir encará-los.

Henry apertou o ombro dela.

— Scout, juro que os enchimentos saíram do lugar enquanto estávamos dançando. Pense bem... se alguém tivesse notado, teria avisado, você sabe disso.

— Não, não sei. Eles iam cochichar e rir, sei como são.

— Os mais velhos, não — disse Henry, tranquilo. — E desde que Jem chegou, você já dançou com todo o time de futebol.

Era verdade. O time todo, um por um, tinha pedido o prazer de uma dança com ela: era a maneira que Jem tinha encontrado de se assegurar de que ela ia se divertir.

— Além disso — continuou Henry—, não gosto desses enchimentos. Você fica parecendo outra pessoa.

— Você quer dizer que eu fico ridícula com eles? — ela perguntou, magoada. — Sem eles também fico.

— Quis dizer apenas que não parece a Jean Louise — respondeu ele. E acrescentou: — Você não fica nem um pouco ridícula, para mim você é linda.

— É muito gentil da sua parte dizer isso, Hank, mas fala só por falar. Sou gorda nos lugares errados e...

Henry deu uma gargalhada.

— Quantos anos você tem? Não tem nem quinze, ainda está crescendo. Você se lembra da Gladys Grierson? Lembra como costumavam chamá-la de Traseiro Feliz?

— Ha-ank!

— Pois olhe como ela é hoje.

Gladys Grierson, um dos mais belos adornos da turma do último ano, tinha sido afligida por aquele problema em grau muito maior do que Jean Louise.

— Ela está bem magra agora, não é?

— Escute, Scout — disse Henry energicamente —, você vai ficar preocupada com eles pelo resto da noite. É melhor tirar.

— Não, vamos para casa.

— Não vamos para casa, vamos voltar lá para dentro e nos divertir.

— Não!

— Droga, Scout, eu disse que vamos voltar para o salão, então tire logo estas coisas!

— Me leve para casa, Henry.

Henry enfiou a mão sob a gola do vestido e, com irritação, mas desinteressadamente, arrancou os acessórios problemáticos e atirou-os longe, no escuro.

— *E agora*, podemos ir?

Ninguém pareceu notar a mudança na aparência dela, o que, segundo Hank, só provava que ela era vaidosa como um pavão por pensar que as pessoas não paravam de olhar para ela.

No dia seguinte todos tinham aula, por isso o baile terminou às onze. Henry estacionou o Ford na entrada da garagem dos Finch, embaixo dos cinamomos. Foram andando até a porta da frente e, antes de abri-la para ela entrar, Henry envolveu Jean Louise suavemente em seus braços e a beijou. Ela sentiu as bochechas ficarem quentes.

— Mais um, para dar sorte — disse ele.

Ele a beijou de novo, fechou a porta e Jean Louise o ouviu assoviar enquanto ele atravessava a rua em direção a sua casa.

Na ponta dos pés, foi até a cozinha. Estava com fome. Quando passou pelo quarto do pai, viu uma faixa de luz sob a porta. Bateu e entrou. Atticus estava lendo na cama.

— Você se divertiu?

— Muito — ela respondeu. — Atticus?

— Hum?

— Acha que Hank é muito velho para mim?

— O quê?

— Nada. Boa noite.

Na manhã seguinte, ela ouviu a chamada sob o peso de sua súbita paixão por Henry e só prestou atenção quando a professora anunciou que ia haver uma assembleia extraordinária com todos os alunos logo após o sinal do primeiro intervalo.

Foi para o auditório pensando apenas em encontrar Henry, e com uma leve curiosidade a respeito do que a srta. Muffett teria a dizer. Provavelmente, ia ser mais uma convocação para comprarem bônus de guerra.

O diretor da Escola Secundária do Condado Maycomb era o sr. Charles Tuffett, que, para compensar o sobrenome meio cômico, costumava andar com uma expressão semelhante à do índio da moeda de cinco centavos. Sua personalidade, por sua vez, era ainda menos atraente: um sujeito amargo, um professor frustrado, sem um pingo de afinidade com os jovens. Vinha das colinas do Mississippi, o que o deixava em desvantagem em Maycomb, pois as pessoas pragmáticas das colinas não entendiam os sonhadores das planícies costeiras, e o sr. Tuffett não era exceção. Ao chegar a Maycomb, não perdeu tempo em informar aos pais que seus filhos eram o grupo mais mal-educado que ele já tinha visto, com talento e aptidão apenas para a agricultura, que o futebol americano e o basquete eram uma perda de tempo, e que ele, felizmente, não era partidário de clubes nem de atividades extracurriculares, pois a escola, como a vida, era um negócio.

Os alunos, dos mais velhos aos mais novos, responderam à altura: o sr. Tuffett era sempre tolerado, mas era ignorado a maior parte do tempo.

Jean Louise sentou-se com sua turma no meio do auditório; os alunos mais velhos ficaram na ponta, do outro lado, e era fácil virar a cabeça e olhar para Henry. Jem, sentado ao lado dele, estava com os olhos semicerrados, taciturno e mudo, como ficava todas as manhãs. Quando o sr. Tuffett parou diante dos alunos e leu alguns avisos, Jean Louise ficou grata por ele estar usando o horário da primeira aula, o que significava nada de matemática. Virou-se para a frente quando o sr. Tuffett tocou no assunto que motivou a reunião.

Começou dizendo que, no exercício do magistério, tinha se deparado com todos os tipos de alunos, alguns dos quais levavam pistolas para a escola, mas nunca tinha visto um grau de depravação tão grande como o que encontrou na frente da escola naquela manhã.

Jean Louise trocou olhares com seus companheiros.

— Por que ele está tão irritado? — cochichou.

— Só Deus sabe — respondeu alguém sentado à sua esquerda.

Será que faziam ideia da magnitude daquele ultraje? Gostaria de lembrar-lhes de que o país estava em guerra e que, enquanto os nossos soldados, nossos irmãos e filhos, lutavam e morriam por nós, alguém tinha feito um ato obsceno de desrespeito a eles, e o autor de tal ato não merecia nada além de desprezo.

Jean Louise viu à sua volta um mar de rostos perplexos. Tinha facilidade para identificar culpados em público, mas daquela vez via apenas assombro por todo canto.

Além disso, antes de eles se retirarem, o sr. Tuffett avisou que sabia quem tinha feito aquilo e, se a pessoa culpada quisesse ser tratada com leniência, deveria comparecer ao gabinete dele até, no máximo, duas da tarde, com uma declaração por escrito.

Os alunos, abafando um rosnado de desagrado com o fato de o sr. Tuffett ter lançado mão do mais velho truque de diretor da história, levantaram-se e foram atrás dele até a frente da escola.

— Ele adora confissões por escrito — Jean Louise comentou com os colegas. — Acha que assim está agindo de acordo com a lei.

— É, ele não acredita em nada que não seja por escrito — disse um deles.

— E se for por escrito, ele acredita em tudo — disse outro.

— Será que alguém pintou suásticas na calçada? — perguntou um terceiro.

— Não seria a primeira vez — respondeu Jean Louise.

Eles rodearam a escola e se detiveram. Não parecia haver nada de errado: a calçada estava limpa, as portas da frente estavam no lugar, as sebes estavam em perfeito estado.

O sr. Tuffett esperou toda a escola estar reunida e apontou para o alto, em um gesto dramático.

— Vejam! Vejam, todos! — mandou.

O sr. Tuffett era um patriota. Coordenava todas as campanhas para incentivar a compra de bônus de guerra; fazia palestras entediantes e constrangedoras para os alunos sobre o "Esforço de Guerra"; e o projeto que ele incentivou e do qual mais se orgulhava era um enorme mural que mandou colocar no pátio da frente da escola com os nomes dos alunos da ESCM que estavam a serviço do país. Os alunos, por sua vez, viam o cartaz do sr. Tuffett com maus olhos: ele tinha cobrado vinte e cinco centavos de cada um dos alunos e tinha ficado com todo o mérito.

Acompanhando a direção do dedo do sr. Tuffett, Jean Louise olhou para o mural. Leu A SERVIÇO DO PAÍ e, escondendo a última letra e balançando suavemente ao vento matinal, estavam os enchimentos do sutiã dela.

— Insisto — declarou o sr. Tuffett — que é melhor que uma confissão assinada chegue à minha mesa antes das duas da tarde. Estive aqui neste local ontem à noite — disse, enfatizando cada palavra. — Agora, voltem para suas salas.

Isso era verdade. Ele sempre circulava escondido pelos bailes da escola na tentativa de flagrar alunos e alunas aos beijos. Olhava dentro dos carros estacionados e batia nos arbustos. Talvez tivesse visto os dois. Por que Hank tinha que atirar para longe os enchimentos?

— Ele está blefando — disse Jem durante o recreio. — Mas também pode não estar.

Estavam no refeitório da escola. Jean Louise estava fazendo o possível para passar despercebida. Toda a escola parecia estar prestes a explodir de risadas, medo e curiosidade.

— Pela última vez, deixem eu contar para ele — ela pediu aos dois.

— Não seja idiota, Jean Louise. Você sabe a opinião dele e, além do mais, fui eu quem jogou — disse Henry.

— Pelo amor de Deus, os enchimentos são meus!

— Eu entendo Hank, Scout — disse Jem. — Ele não pode deixar você fazer isso.

— Não vejo por quê.

— Pela milésima vez, porque não, só isso. Não entende?

— Não.

— Jean Louise, na noite passada, você era o meu par...

— Nunca vou entender os homens — disse ela, que não estava mais apaixonada por Henry. — Não precisa me proteger, Hank. Não sou mais o seu par esta manhã. Você sabe que não pode contar para o diretor.

— Isso é verdade, Hank — disse Jem. — Ele não vai entregar seu diploma.

O diploma era mais importante para Henry do que para a maioria dos colegas dele. Alguns alunos não se importavam de ser expulsos da escola; em um piscar de olhos podiam ir para um colégio interno.

— Ele ficou muito irritado com o que você fez. E é bem capaz de expulsá-lo da escola duas semanas antes da formatura.

— Então me deixem assumir a culpa — disse Jean Louise. — Eu adoraria ser expulsa.

Era verdade. Ela achava a escola um tédio insuportável.

— A questão não é essa, Scout. Você não pode fazer isso. Posso explicar ao sr. Tuffett... não, não posso — disse Henry, enquanto se dava conta das consequências de sua impetuosidade. — Não posso explicar coisa nenhuma.

— Tudo bem — disse Jem. — A situação é a seguinte: Hank, acho que ele está blefando, mas pode ser que não esteja. Você sabe como ele gosta de espionar. Pode ter ouvido vocês, estavam praticamente embaixo da janela do gabinete dele.

— Mas a luz do gabinete estava apagada — lembrou Jean Louise.

— Ele adora ficar sentado lá no escuro. Se Scout admitir a culpa, ele vai ficar bravo, mas, se você fizer isso, será expulso em dois tempos. E você precisa do diploma, amigo.

— Jem, é ótimo filosofar, mas não estamos chegando a lugar nenhum... — disse Jean Louise.

— A questão, Hank, é que você não tem saída — avaliou Jem, ignorando tranquilamente a irmã. — Contando ou não, não importa.

— Eu...

— Fica quieta, Scout! — Henry interrompeu, irritado. — Não vê que nunca mais vou poder andar de cabeça erguida se deixar você fazer isso?

— Arghhhhh. Quanto heroísmo!

Henry se levantou de um pulo.

— Espera aí! Jem, me dê as chaves do carro e responda a chamada por mim no estudo dirigido. Volto antes da aula de economia.

— A srta. Muffett vai ouvir você saindo com o carro, Hank — avisou Jem.

— Não vai nada. Eu empurro o carro até a rua. Além do mais, ela vai estar supervisionando o estudo dirigido.

Era fácil faltar a um período de estudo dirigido com o sr. Tuffett. Ele não se interessava muito pelos alunos, só sabia o nome dos mais desinibidos. Os lugares eram marcados de antemão na biblioteca, mas, se alguém não quisesse ir, era só subtrair uma fileira: o aluno no final de uma fileira levava a cadeira vazia para o corredor e a colocava de volta no final do período.

Jean Louise não prestou nenhuma atenção na aula de inglês, e, cinquenta ansiosos minutos depois, Henry a deteve a caminho da aula de educação cívica.

— Escute — disse com firmeza. — Faça exatamente o que vou lhe dizer. conte tudo a ele. Escreva...

Ele entregou um lápis a Jean Louise, e ela abriu o caderno.

— Escreva: "Caro sr. Tuffett, tenho a impressão de que os enchimentos são meus." Assine o seu nome completo. É melhor copiar à caneta para ele acreditar. Entregue a confissão para ele pouco antes do meio-dia. Entendeu?

Ela assentiu.

— Pouco antes do meio-dia.

Quando chegou à sala de aula, viu que todos já estavam sabendo. No corredor havia grupos de alunos cochichando e rindo. Ela reagiu aos risinhos e piscadelas amistosas com serenidade — quase fizeram com que se sentisse melhor. "São os adultos que sempre pensam o pior", ela pensou, certa de que os colegas acreditavam exatamente no que Jem e Hank tinham espalhado. Mas por que os dois tinham contado? Iam ser ridicularizados para sempre; eles não davam a mínima porque estavam prestes a se formar, mas ela ainda teria de ficar lá por mais três anos. Não, a srta. Muffett ia expulsá-la, e Atticus a mandaria para algum outro colégio. Ele ia ficar furioso quando o diretor contasse toda aquela história horrível. Bem, pelo menos Hank não ia se meter em confusão. Ele e Jem tinham sido muito corajosos, mas no fim das contas Jean Louise tinha razão: era a única coisa a fazer.

Escreveu a confissão à caneta e, conforme o meio-dia se aproximava, foi perdendo a coragem. Em geral, adorava discutir com o sr. Tuffett, que era tão burro que uma pessoa podia dizer praticamente o que quisesse para ele, desde que tivesse o cuidado de fazer cara séria e compenetrada. Mas naquele dia ela não estava com ânimo para batalhas dialéticas. Estava nervosa e com raiva de si mesma.

Sentiu um leve enjoo ao percorrer o corredor em direção ao gabinete do diretor. Na assembleia com os alunos, ele tinha classificado a situação de depravada e obscena; o que não ia dizer para o restante da cidade? Maycomb adorava fofocas, e Atticus ia ouvir todo tipo de coisa...

O sr. Tuffett estava sentado no gabinete, olhando irritado para o tampo de sua mesa.

— O que você quer? — ele perguntou, sem levantar o olhar.

— Queria entregar isto para o senhor — ela respondeu, recuando instintivamente.

O sr. Tuffett pegou o papel, amassou-o sem ler e jogou-o na cesta de lixo.

Jean Louise ficou estupefata.

— Ah, sr. Tuffett — disse ela —, vim confessar, como o senhor mandou. Eu... eu comprei os enchimentos na Ginsberg's... — acrescentou desnecessariamente. — Não era minha intenção...

O sr. Tuffett olhou para ela, o rosto vermelho de raiva.

— Não fique parada aí me dizendo que não era sua intenção! Nunca na minha vida profissional me deparei...

Ela sabia o que vinha a seguir.

Contudo, ao ouvi-lo, teve a impressão de que o sr. Tuffett se referia mais ao corpo discente como um todo do que a ela, suas palavras eram como um eco dos sentimentos que havia expressado naquela manhã. Ele estava concluindo com um resumo das atitudes prejudiciais e pouco edificantes que engendrava o condado Maycomb quando ela interrompeu:

— Sr. Tuffett, só quero dizer que não deve culpar todos os outros pelo que eu fiz... O senhor não deve descontar nos outros alunos.

O sr. Tuffett agarrou a beirada da mesa e disse, com os dentes cerrados:

— Devido a esse desacato, a senhorita vai ficar mais uma hora na escola!

Ela respirou fundo.

— Sr. Tuffett, acho que houve um engano. Eu não acho que...

— Ah, não? Pois vou lhe mostrar! — O sr. Tuffett pegou uma pilha de páginas arrancadas de cadernos e mostrou para ela. — A senhorita é a centésima quinta aluna a confessar!

Jean Louise examinou as folhas de papel. Eram todas parecidas, e em todas estava escrito: "Caro sr. Tuffett, tenho a impressão de que os enchimentos são meus", assinadas por cada aluna do nono ano para cima.

Ela pensou por um instante, mas não conseguiu pensar em nada para dizer a fim de ajudar o sr. Tuffett, então saiu em silêncio da sala do diretor.

— É um homem derrotado — disse Jem enquanto voltavam de carro para casa para almoçar. Jean Louise estava sentada entre o irmão e Henry, que tinha ouvido, sério, o relato dela sobre a reação do sr. Tuffett.

— Hank, você é um verdadeiro gênio — disse ela. — Como teve essa ideia?

Henry deu uma longa tragada no cigarro e jogou-o pela janela.

— Consultei o meu advogado — ele respondeu, cheio de pose.

Jean Louise tapou a boca com as mãos.

— Era natural — explicou Henry. — Você sabe que ele cuida dos meus assuntos desde que eu era pequeno, por isso fui à cidade e contei tudo a ele. Apenas pedi um conselho.

— Atticus disse para você fazer aquilo? — perguntou Jean Louise, pasma.

— Não, ele não disse para eu fazer aquilo. A ideia foi minha. Ele refletiu por um momento, disse que era apenas uma questão de equilibrar a responsabilidade ou algo assim, e que eu estava em uma posição interessante, mas delicada. Ele girou na cadeira, olhou pela janela e disse que procurava sempre se colocar no lugar dos clientes... — Henry fez uma pausa.

— Continue.

— Bom, ele disse que, considerando a extrema delicadeza do meu problema e como não havia prova de dolo, ele não via problema em jogar um pouco de areia nos olhos do júri, o que quer que isso queira dizer, e então, ah, não sei.

— Vamos, Hank, você sabe, sim.

— Bom, ele disse algo sobre a união fazer a força e que, se estivesse no meu lugar, não passaria pela cabeça dele conspirar para cometer perjúrio, mas que, até onde ele sabia, todos os enchimentos são parecidos, e isso era tudo que ele podia fazer por mim. Disse que mandava a conta da consulta no final do mês. E antes mesmo de sair do escritório dele tive a ideia!

— Hank... ele disse alguma coisa sobre o que ia falar comigo? — perguntou ela.

— Falar com você? — Henry virou-se para ela. — Ele não vai falar nada com você. Não pode. Não sabe que tudo que um cliente diz a seu advogado é confidencial?

Pof. Ela amassou o copo de papel na mesa como se fosse a lembrança deles. O sol marcava duas da tarde, como tinha sido no dia anterior e como seria no seguinte.

"O inferno é o eterno isolamento." O que ela tinha feito para merecer passar o resto da vida desejando estar próxima deles, fazendo viagens secretas ao passado e nenhuma viagem ao presente? "Sou sangue do sangue deles, sou fruto desta terra, aqui é a minha casa. Mas não sou sangue do sangue deles, esta terra não se importa com seus frutos, sou uma estranha em uma festa."

16

— Hank, onde está Atticus?

De sua mesa, Henry olhou para ela.

— Oi, querida. Ele foi ao correio. Está na hora do meu café, quer me acompanhar?

A mesma coisa que tinha feito com que ela saísse da sorveteria do sr. Cunningham e fosse até o escritório de Atticus fez com que o seguisse até a rua: queria examinar discretamente os dois para garantir que não tinham sofrido também uma alarmante metamorfose física. Ao mesmo tempo, não queria falar com eles, não queria tocá-los, com medo de que cometessem outro ultraje ainda maior em sua presença.

Enquanto caminhavam até o café, ela se perguntou se Maycomb já estaria planejando a festa de casamento deles para o outono ou o inverno. "Sou estranha", pensou. "Não consigo ir para a cama com um homem, a menos que esteja de acordo com ele de alguma forma. E no momento não consigo nem falar com Hank. Não consigo falar com meu amigo mais antigo."

Sentaram-se frente a frente à uma mesa, e Jean Louise ficou examinando o porta-guardanapo, o açucareiro, os vidros de sal e pimenta.

— Você está calada. Como foi o café da manhã? — perguntou Henry.

— Horrível.

— Hester foi?

— Foi. Ela é mais ou menos da mesma idade que você e Jem, não é?

— É, foi da nossa turma. Hoje de manhã Bill me contou que ela estava caprichando na maquiagem para ir à reunião.

— Hank, Bill Sinclair deve ser um sujeito detestável.

— Por quê?

— Por causa de todas aquelas baboseiras que ele enfiou na cabeça de Hester...

— Que baboseiras?

— Ah, sobre católicos e comunistas e Deus sabe mais o quê. Parece que está tudo misturado na cabeça dela.

Henry riu.

— Querida, Bill é tudo para ela. Tudo que ele diz é sagrado. Ela ama o marido.

— É isso que significa amar o marido?

— Bem, tem muito a ver com isso.

— Está se referindo a perder a própria identidade, não é? — observou Jean Louise.

— De certa maneira, sim — concordou Henry.

— Então acho que nunca vou me casar. Nunca encontrei um homem...

— Você vai se casar comigo, lembra?

— Hank, é melhor eu dizer de uma vez por todas e acabar logo com isso: não vou me casar com você. Ponto final.

Ela não pretendia dizer aquilo, mas não conseguiu se conter.

— Já ouvi isso antes.

— Pois estou dizendo agora que, se você quiser se casar um dia — era ela mesma quem estava falando? —, é melhor começar a procurar uma noiva. Nunca fui apaixonada por você, mas você sempre achou que eu o amava. Pensei que pudéssemos nos casar assim, mas...

— Mas o quê?

— Eu nem o amo mais daquela forma. Sei que estou magoando você, mas é a verdade.

Sim, era ela que estava falando, com sua firmeza de sempre, partindo o coração dele em um café. Bom, mas ele também tinha partido o coração dela.

O rosto de Henry empalideceu, depois ficou vermelho e a cicatriz se destacou de repente.

— Jean Louise, você não está falando sério.

— Estou falando muito sério.

"Dói, não é? Pode acreditar que dói. Agora você sabe como é."

Henry segurou a mão dela por cima da mesa. Ela a recolheu.

— Não me toque — disse ela.

— Querida, qual é o problema?

"O problema? Vou lhe dizer qual é o problema. Você não vai gostar de alguns detalhes."

— Está bem, Hank. É simples assim: eu estive naquela reunião ontem. Vi você e Atticus em toda a sua glória na mesa com aquela... escória, aquele homem horrível, e meu estômago revirou. O homem com quem eu ia me casar, o meu pai, e fiquei com tanto nojo que vomitei e continuo enojada! Meu Deus, como você pôde fazer aquilo? Como?

— Jean Louise, somos obrigados a fazer muita coisa que não queremos.

Ela ficou furiosa.

— Que tipo de resposta é essa? Achei que tio Jack tinha finalmente endoidado de vez, mas agora não tenho mais tanta certeza!

— Querida — começou Henry. Empurrou o açucareiro para o meio da mesa e o puxou de volta. — Pense nas coisas da seguinte forma. O Conselho de Cidadãos de Maycomb é apenas... um protesto contra a Suprema Corte, é uma espécie de alerta aos negros para que não tenham tanta pressa, é uma...

— ... uma plateia feita sob medida para qualquer gentalha que queira se levantar e insultar os negros. Como você pode participar de uma coisa dessas, como?

Henry empurrou o açucareiro para ela e puxou-o de volta. Ela tirou o açucareiro da mão dele e colocou-o no canto, batendo na mesa com força.

— Jean Louise, como eu acabo de dizer, temos de fazer...

— Muitas coisas que não queremos...

— Vai me deixar terminar? Muitas coisas que não queremos fazer. Por favor, me deixe falar. Estou tentando pensar em alguma coisa que faça você entender o que eu quero dizer... Conhece a Ku Klux Klan?

— Sim, eu conheço a Ku Klux Klan.

— Espere um instante. Muito tempo atrás, a Klan era uma organização respeitada, como os maçons. Quando o sr. Finch era jovem, todo homem de alguma relevância na comunidade fazia parte dela. Sabia que o dr. Finch também?

— Não me surpreenderia com nada mais de que o sr. Finch tenha participado na vida. Faz sentido...

— Jean Louise, cale-se! O sr. Finch não se interessa pela Klan, e na época também não se interessava. Sabe por que ele resolveu fazer parte? Para saber exatamente quais homens da cidade estavam por trás das máscaras. Que homens, que pessoas. Ele foi a uma reunião, e foi o suficiente. Por acaso, o Mago* era o pastor metodista...

— É o tipo de companhia que Atticus aprecia.

— Cale-se, Jean Louise. Estou tentando mostrar a você os motivos dele: na época, a Klan era apenas uma força política, eles não queimavam cruzes de madeira, mas seu pai ficava, e ainda fica, pouco à vontade na presença de pessoas que escondem o rosto. Ele precisava saber contra quem teria que lutar quando chegasse a hora... Precisava saber quem eram...

— Então meu querido pai fez parte do Império Invisível.

— Jean Louise, isso foi há quarenta anos...

— A essa altura ele deve ocupar o posto de Grande Dragão.

— Estou apenas tentando mostrar o que há por atrás dos atos de um homem — disse ele calmamente. — Um homem pode parecer fazer parte de algo que à primeira vista não é bom, mas você não

---

* Na organização da Ku Klux Klan, o Mago era o chefe de uma subdivisão local; o Grande Mago, o chefe supremo da orgnização; e o Grande Dragão, o chefe de cada província ou estado (N. do E.)

pode julgá-lo antes de saber seus motivos. Um homem pode estar fervendo de raiva por dentro, mas sabe que uma resposta serena é melhor do que um ataque de fúria. Um homem pode condenar seus inimigos, mas é mais sensato conhecê-los. Eu disse que às vezes temos de fazer...

— Está dizendo que temos de seguir a corrente e, quando chegar a hora... — interrompeu ela.

Henry a encarou.

— Escute, querida. Já lhe ocorreu que os homens, principalmente os homens, precisam se adaptar a certas exigências da comunidade em que vivem para poderem servir a ela? Querida, o condado Maycomb é o meu lugar. É o melhor lugar que conheço para viver. Desde que era menino, ganhei o respeito das pessoas daqui. Maycomb me conhece, e eu conheço Maycomb. Maycomb confia em mim, e eu confio em Maycomb. O meu sustento vem desta cidade, e ela me proporcionou uma boa vida. Mas Maycomb exige certas coisas em troca. Exige que você leve uma vida relativamente decente, que faça parte do Clube Kiwanis, que vá à igreja aos domingos, que se ajuste aos seus costumes...

Henry examinou o saleiro, passando o polegar pelas ranhuras do vidro.

— Não se esqueça de uma coisa, querida. Trabalhei como um cão para conseguir tudo o que tenho. Trabalhei naquela mercearia do outro lado da praça, e ficava tão cansado a maior parte do tempo que mal conseguia acompanhar as aulas. Nas férias, trabalhava na loja da minha mãe, e quando não estava lá, estava ajudando em casa. Jean Louise, tive que dar duro desde pequeno para ter as coisas que você e Jem receberam de bandeja. Nunca tive nem nunca vou ter algumas das coisas que você tem e que lhes parecem naturais. Só posso contar comigo mesmo...

— Como todos, Hank.

— Não é assim. Pelo menos não aqui.

— O que você quer dizer?

— Quero dizer que há coisas que você pode fazer e eu não.

— E por que sou tão privilegiada?

— Porque você é uma Finch.

— Sou uma Finch, e daí?

— Daí que, se quiser, pode sair pela cidade descalça, de macacão e com a camisa para fora se quiser. As pessoas vão dizer que esse é o seu lado Finch, que é o seu jeito. Maycomb sorri e não liga a mínima: a velha Scout Finch não muda. Maycomb inteira está encantada e disposta a acreditar que você nadou sem roupa no rio. "Não mudou nada", dizem. "A mesma Jean Louise de sempre. Lembra quando ela...?" — Ele colocou o salciro sobre a mesa. — Mas se Henry Clinton fizer qualquer coisa diferente do esperado, a cidade não vai dizer que "é porque ele é um Clinton". Vai dizer que "é porque ele é gentalha".

— Hank. Você sabe que isso não é verdade. É injusto e mesquinho, mas, acima de tudo, não é verdade!

— Jean Louise, é verdade — disse Henry calmamente. — Você provavelmente nunca pensou nisso...

— Hank, você tem alguma espécie de complexo.

— Não tenho complexo coisa nenhuma. Apenas conheço Maycomb. Não ligo a mínima, mas Deus sabe que eu tenho consciência disso. O que me diz que há coisas que não posso fazer e coisas que devo fazer se...

— Se o quê?

— Bom, querida, eu realmente gosto de morar aqui, e gosto das mesmas coisas que todas as outras pessoas: quero ser respeitado na cidade, quero servi-la, quero construir um nome como advogado, quero ganhar dinheiro, quero me casar e ter uma família...

— Nessa ordem, imagino!

Jean Louise levantou-se da mesa e saiu do café. Henry foi atrás dela. Na porta, ele parou e gritou que voltaria dali a pouco para pagar a conta.

— Jean Louise, pare!

Ela parou.

— O que é?

— Querida, estou apenas tentando fazer você ver...

— Eu vejo muito bem! — esbravejou ela. — Vejo um homenzinho assustado, com medo de não fazer o que Atticus manda, com medo de andar com os próprios pés, com medo de não ser aprovado pelos outros machões...

Ela saiu andando. Pensou que estivesse indo na direção do carro. Pensou que o tivesse estacionado na frente do escritório de Atticus.

— Jean Louise, pode esperar um minuto, por favor?

— Tudo bem, estou esperando.

— Eu disse que você nunca deu valor a algumas coisas...

— Ah, sim, eu não dei valor a muita coisa. Precisamente as coisas que eu amava em você. Olhava para você como se fosse um deus porque trabalhava feito um condenado para conseguir tudo o que tinha, para se tornar o que se tornou. Achava que isso incluía muitas coisas, mas obviamente estava errada. Pensei que você fosse corajoso, pensei...

Ela saiu andando pela calçada, sem perceber que Maycomb estava olhando para ela, que Henry estava andando ao seu lado de um jeito patético e meio cômico.

— Jean Louise, pode me ouvir, por favor?

— Droga, o que é?

— Só quero perguntar uma coisa, só uma: o que diabos você espera que eu faça? Diga, o que diabos espera que eu faça?

— O que eu espero que você faça? Espero que deixe o seu traseiro dourado fora dos Conselhos de Cidadãos! Não quero saber se Atticus está sentado à sua frente, se o rei da Inglaterra está à sua direita e Deus Todo-Poderoso à sua esquerda... Quero que seja homem, só isso! — Ela inspirou bruscamente. — Eu... Você sobreviveu a uma maldita guerra, isso sim é uma coisa de meter medo, mas você sobreviveu, você sobreviveu. E aí volta para casa para viver com medo pelo resto da vida... com medo de Maycomb. Maycomb, no Alabama... pelo amor de Deus!

Tinham chegado à porta do escritório. Henry a segurou pelos ombros.

— Jean Louise, pode parar um instante? Por favor, me ouça. Sei que não sou grande coisa, mas pense por um minuto. Por favor, pense. Esta é a minha vida, a minha cidade, não entende isso? Diabos, eu sou parte da gentalha do condado, mas sou parte de Maycomb. Sou covarde, sou um homenzinho que não vale a pena matar, mas aqui é o meu lugar. O que quer que eu faça? Que suba no alto de um telhado e grite aos quatro ventos que eu sou Henry Clinton e estou aqui para dizer que vocês estão completamente errados? Tenho que viver aqui, Jean Louise. Não entende?

— Só entendo que você é um maldito hipócrita.

— Estou tentando mostrar, querida, que você tem privilégios que eu não tenho. Pode sair aos berros pela rua, eu não. Como posso servir a uma cidade se ela estiver contra mim? Se eu saísse e.... Veja bem, você concorda que tenho uma certa formação e sou de alguma utilidade para a cidade, não concorda? Um operário não pode fazer o que eu faço. Então, devo jogar tudo isso no lixo, voltar para a mercearia e ficar vendendo farinha quando posso ajudar as pessoas com pouco talento jurídico que eu tenha? O que vale mais?

— Henry, como você consegue dormir à noite?

— É relativamente fácil. Às vezes, não voto no que acredito, só isso.

— Hank, nós somos opostos. Não sei muito, só sei de uma coisa: não posso viver com você. Não posso viver com um hipócrita.

Atrás dela, uma voz seca e agradável disse:

— Não sei por que não. Os hipócritas têm tanto direito de viver neste mundo quanto qualquer outra pessoa.

Ela se virou e encarou o pai. Tinha o chapéu empurrado para trás, as sobrancelhas estavam erguidas, e sorria para ela.

17

— Hank, por que não vai dar uma olhada nas roseiras da praça? — sugeriu Atticus. — Estelle pode lhe dar uma rosa, se pedir com jeito. Pelo jeito eu fui o único que pediu com jeito hoje.

Atticus pôs a mão na lapela, onde havia um botão de rosa vermelha. Jean Louise olhou para a praça e viu Estelle, a silhueta negra contra o sol forte da tarde, cavando o canteiro com uma enxada.

Henry estendeu a mão para Jean Louise, baixou-a e foi embora sem dizer nada. Ela o observou enquanto ele atravessava a rua.

— Atticus, você sabia de tudo isso?

— Claro.

Atticus tratava Hank como um filho, dera a ele todo o amor que teria dado a Jem... De repente ela se deu conta de que estavam parados no local onde Jem tinha morrido. Atticus viu quando ela estremeceu.

— Você ainda não esqueceu, não é? — ele perguntou.

— Não.

— Não está na hora de esquecer? Enterre seus mortos, Jean Louise.

— Não quero falar sobre isso. Quero ir para outro lugar.

— Vamos para o escritório, então.

O escritório do pai sempre tinha sido uma espécie de refúgio para ela. Era acolhedor. Um lugar onde os problemas, ainda que não desaparecessem, ficavam pelo menos suportáveis. Ela se perguntou se aqueles ainda eram os mesmos resumos de casos, os mesmos arquivos e a mesma papelada que havia sobre a mesa dele quando ela entrava lá, ofegante, louca para tomar um sorvete, e pedia uma moeda. Podia vê-lo girando na cadeira e esticando as pernas. Enfiava a mão no fundo do bolso, tirava um punhado de moedas e escolhia uma especial para ela. A porta do escritório estava sempre aberta para os filhos.

Ele se sentou devagar e girou a cadeira para ficar de frente para ela, que notou um lampejo de dor passar pelo rosto dele e sumir.

— Você sabia que Hank era assim?

— Sabia.

— Não entendo os homens.

— Bom, há homens que enganam a mulher com o dinheiro da mercearia, mas jamais pensariam em enganar o dono da mercearia. Os homens costumam compartimentalizar a honestidade, Jean Louise. Podem ser absolutamente honestos em um sentido e se enganar completamente em outros. Não seja tão dura com Hank, ele faz o que pode. Jack me disse que você está chateada com alguma coisa.

— Tio Jack contou para você...

— Ele ligou há pouco e disse, entre outras coisas, que se você ainda não estava, em breve ia estar prestes a declarar uma guerra. Pelo que acabo de ouvir, já declarou.

Pois bem. Tio Jack tinha contado a ele. Já tinha se conformado em ser abandonada por todos os membros da família, um por um. Tio Jack tinha sido a gota d'água, e eles que fossem todos para o inferno. Muito bem, ela ia contar a Atticus. Ia contar a ele e depois ia embora. Não adiantava discutir, era inútil. Ele sempre a derrotava em todas as discussões; nunca tinha vencido uma discussão com ele na vida, e não estava disposta a tentar agora.

— É verdade, estou chateada com uma coisa. Aquele Conselho de Cidadãos do qual está fazendo parte. Acho asqueroso e vou dizer logo de uma vez.

O pai se recostou na cadeira.

— Jean Louise, você só lê os jornais nova-iorquinos. Tenho certeza de que só fica sabendo de graves ameaças, bombas e coisas assim. O Conselho de Cidadãos de Maycomb não é como os do norte do Alabama e do Tennessee. O nosso conselho é composto e dirigido pelos nossos cidadãos. Aposto que ontem você viu quase todos os homens do condado lá e conhecia quase todos eles.

— É verdade. Todos, daquela víbora do Willoughby para baixo.

— Cada um deles provavelmente estava lá por um motivo diferente — comentou o pai dela.

Nenhuma guerra foi travada por motivos tão diversos. "Quem disse isso?"

— É, mas todos se reuniram pelo mesmo motivo.

— Posso lhe dizer os dois motivos para eu estar lá: o governo federal e a Associação Nacional para o Progresso das Pessoas de Cor. Jean Louise, qual foi a sua primeira reação à decisão da Suprema Corte?

Era uma pergunta fácil. Ela ia responder.

— Fiquei furiosa.

Era verdade. Sabia o que ia acontecer, sabia como seria, achou que estava preparada, mas, quando comprou o jornal na banca da esquina e leu, parou no primeiro bar que viu pela frente e pediu uma dose de uísque.

— Por quê?

— Bom, lá estavam eles, dizendo mais uma vez o que devíamos fazer...

Seu pai sorriu.

— Você apenas reagiu como os seus. Depois de começar a usar a cabeça, o que foi que pensou?

— Nada de mais, mas fiquei assustada. Parecia um retrocesso... Eles estavam colocando a carroça bem na frente dos bois.

— Como assim?

Ele estava provocando. Tudo bem. Estavam em terreno seguro.

— Bom, ao tentar respeitar uma emenda, parece que apagaram outra. A décima. É uma emenda pequena, apenas uma frase, mas de certa forma sempre achei que era a mais importante.

— Você chegou a essa conclusão sozinha?

— Bem, sim, Atticus. Não sei nada sobre a Constituição...

— Seus conhecimentos constitucionais parecem bastante bons. Continue.

"Continuar o quê? Dizer que não conseguia olhar nos olhos dele? Ele queria saber a opinião dela sobre a Constituição, então ia dizer."

— Bom, me pareceu que, para atender às necessidades reais de uma pequena parcela da população, a Suprema Corte estabeleceu algo horrível que poderia... poderia afetar a maioria das pessoas. De maneira adversa, quero dizer. Atticus, não sei nada sobre isso... Só sei que entre nós e qualquer coisa que algum sujeitinho esperto queira começar há apenas a Constituição, e tive a impressão de que a Suprema Corte foi lá e simplesmente anulou uma emenda inteira. Temos um sistema de controles e equilíbrios e tudo isso, mas, na prática, não temos muito controle sobre a Suprema Corte, então quem vai se encarregar dessa tarefa difícil? Ah, céus, parece que estou no Actors Studio.

— O que disse?

— Nada. Eu... só estou querendo dizer que, tentando fazer a coisa certa, acabamos ficando expostos a algo que poderia ser muito perigoso para o nosso sistema.

Ela passou a mão pelos cabelos. Olhou para as fileiras de livros encadernados em marrom e preto e os volumes de doutrina jurídica na parede em frente. Olhou para uma fotografia desbotada dos nove integrantes da Suprema Corte em 1937 na parede à sua esquerda. "Será que Roberts morreu?", ela se perguntou. Não conseguia se lembrar.

— Você estava dizendo... — disse o pai, paciente.

— Ah, sim. Eu estava dizendo que não entendo muito de governo, economia e essas coisas, nem quero entender, mas sei que para mim, uma simples cidadã, o governo federal consiste sobretudo em corredores escuros e longas esperas. Quanto mais temos, mais esperamos e mais nos cansamos. Aqueles velhos reacionários na foto da parede sabiam disso, e agora, em vez de fazer as coisas por meio do Congresso e das assembleias estaduais como devíamos, quando quisemos fazer as coisas da maneira correta, apenas facilitamos para eles multiplicarem os corredores e as esperas...

O pai dela se endireitou e riu.

— Eu disse que não entendia nada disso.

— Querida, você é tão partidária dos direitos dos Estados que perto de você eu pareço um liberal rooseveltiano.

— Partidária dos direitos dos estados?

— Agora que ajustei meus ouvidos à argumentação feminina — disse Atticus —, acho que no fundo acreditamos nas mesmas coisas.

Ela tinha estado de certa maneira disposta a apagar da memória tudo o que tinha visto e ouvido, voltar sem alarde para Nova York e deixar que Atticus virasse apenas uma lembrança. Uma lembrança deles três — Atticus, Jem e ela — quando tudo era simples e as pessoas não mentiam. Mas não ia deixar que ele piorasse as coisas. Não podia permitir que ele acrescentasse hipocrisia a seus defeitos.

— Atticus, se acredita em todas essas coisas, então por que não faz o que é certo? Quero dizer, por mais mal que a Suprema Corte tenha feito, era preciso começar...

— Você acha que temos de aceitar porque a Suprema Corte determinou? Não, senhora, discordo. Se acha que eu, como cidadão, vou aceitar uma coisa dessas calado, está muito enganada. Como você diz, Jean Louise, só tem uma coisa que está acima da Suprema Corte neste país, e é a Constituição...

— Atticus, estamos falando de coisas diferentes.

— Você está se esquivando de alguma coisa. O que é?

"*A torre negra. Childe Roland à torre negra chegou.* Literatura do secundário. Tio Jack. Agora me lembro."

— O que é? Estou tentando dizer que discordo da maneira como fizeram, que fico apavorada quando penso na maneira como fizeram, mas tinham de fazê-lo. Estava na cara deles, e não podiam ignorar. Atticus, chegou a hora de fazermos o que é direito...

— Direito?

— Isso mesmo. Dar uma oportunidade a eles.

— Aos negros? Você acha que eles não têm oportunidade?

— Claro que não.

— O que impede um negro neste país de ir aonde quiser e fazer o que quiser?

— Essa é uma pergunta capciosa, e você sabe disso! Estou tão cansada dessa moral dupla que...

Ele tinha tocado em um ponto sensível, e ela acusou o golpe. Mas não conseguia evitar. Seu pai pegou um lápis e ficou batendo com ele na mesa.

— Jean Louise, já parou para pensar que não pode haver um grupo de pessoas atrasadas vivendo no meio de pessoas avançadas em uma civilização concreta e isso ser uma Arcádia social?

— Você está me tirando do sério, Atticus, então vamos deixar a sociologia de lado um segundo. Claro que eu sei disso, mas uma vez me disseram uma coisa, uma frase que não me sai da cabeça: "Direitos iguais para todos; privilégios para ninguém", e o significado disso para mim era claro. Não significava dar uma coisa para os brancos e outra para os negros, isso...

— Vejamos a coisa de outra maneira — disse o pai dela. — Você concorda que nossa população negra é atrasada, não concorda? Admite isso? Entende todas as implicações da palavra "atrasada", não?

— Entendo.

— Concorda que a maioria dos negros do Sul não tem condições de assumir totalmente as responsabilidades da plena cidadania? E sabe por quê?

— Sim.

— Mas quer que eles tenham todos os privilégios?

— Maldito seja, você está distorcendo as coisas!

— Não há por que blasfemar. Veja bem: o condado Abbott, na outra margem do rio, está com um problema grave. Quase três quartos da população é de negros, e o eleitorado é praticamente metade negro e metade branco por causa daquela enorme Escola Normal de lá. Se a proporção do eleitorado se invertesse, o que aconteceria? O condado não tem uma lista completa de eleitores porque, se os votos dos negros superassem os dos brancos, haveria negros em todos as instâncias administrativas do condado...

— Como pode ter tanta certeza?

— Querida, use a cabeça. Quando votam, eles votam em bloco.

— Atticus, você parece aquele velho editor que mandou um ilustrador do jornal cobrir a Guerra Hispano-Americana e explicou: "Você desenha. A guerra faço eu." É tão cínico quanto ele.

— Jean Louise, estou apenas tentando mostrar algumas verdades simples. É preciso ver as coisas como elas são além de vermos como deveriam ser.

— Então por que não me mostrou as coisas como são quando eu era pequena e me sentava no seu colo? Por que não me mostrou, por que não tomou o cuidado, quando lia para mim sobre história e sobre as coisas que eram importantes para você, de explicar que havia uma cerca em torno de tudo na qual estava escrito "Apenas para brancos".

— Você é contraditória — ele disse calmamente.

— Por quê?

— Primeiro você condena violentamente a Suprema Corte, depois muda o discurso e fala como a Associação Nacional para o Progresso das Pessoas de Cor.

— Meu Deus, não fiquei irritada com a Suprema Corte por causa dos negros. Está certo que foram os negros que puseram o assunto em discussão, mas não foi isso que me irritou. Foi o que fizeram com a Décima Emenda e todas aquelas ideias confusas. Os negros estavam...

Secundário na guerra... secundário na sua guerra particular.

— Você agora tem um cartão da Associação?

— Por que está dizendo isso? Pelo amor de Deus, Atticus!

O pai dela suspirou. As rugas em volta da boca se aprofundaram. As mãos, com as articulações inchadas, se esforçavam para segurar o lápis amarelo.

— Jean Louise, deixe eu lhe dizer uma coisa, da maneira mais simples que sou capaz. Eu sou antiquado, mas nisso acredito com todo o coração: sou uma espécie de democrata jeffersoniano. Sabe o que é isso?

— Hum, pensei que você tivesse votado em Eisenhower para presidente. Pensei que Jefferson fosse um dos pilares do Partido Democrata, ou algo assim.

— Volte para a escola — disse ele. — Atualmente, a única coisa que o Partido Democrata faz com Jefferson é pendurar a foto dele na parede em banquetes. Jefferson acreditava que a cidadania plena é um privilégio a ser conquistado por cada indivíduo, que não é algo que possa ser concedido, nem retirado levianamente. Para Jefferson, um indivíduo não deveria poder votar só por ser um indivíduo. Precisava ser responsável. O voto era, na concepção dele, um privilégio valioso que o indivíduo conquistava em uma... uma economia baseada no "viva e deixe viver".

— Atticus, você está reescrevendo a história.

— Não estou. Talvez você devesse dar uma olhada no que alguns dos nossos Pais Fundadores realmente acreditavam, em vez de confiar tanto no que as pessoas atualmente dizem que eles acreditavam.

— Você pode ser jeffersoniano, mas não é democrata.

— Jefferson também não era.

— Então, o que você é? Um esnobe ou algo assim?

— Sim, aceito ser chamado de esnobe quando se trata do governo. Gostaria muito de ser deixado em paz para cuidar dos meus assuntos em uma economia de livre mercado, gostaria que o meu estado pudesse ser governado sem a intromissão da Associação, que não entende nada de administração e se importa menos ainda. Essa associação criou mais problemas nos últimos cinco anos...

— Atticus, a Associação não fez nem a metade do que vi nos últimos dois dias. Fomos nós que fizemos.

— Nós?

— Isso mesmo, nós. Você. Por acaso no meio de toda essa discussão e palavrório sobre os direitos do estado e o tipo de governo que deveríamos ter, alguém pensou em ajudar os negros? Perdemos o barco, Atticus. Ficamos parados e deixamos a Associação entrar porque estávamos tão furiosos com o que a Suprema Corte ia fazer, tão furiosos com o que ela fez, que naturalmente começamos a culpar os negros. Descontamos neles porque estávamos com raiva do governo. Quando a Associação começou, não cedemos um milímetro, pelo contrário, saímos correndo. Quando era o momento de termos ajudado os negros a enfrentar a situação, fizemos como Napoleão, e batemos em retirada. Acho que foi a primeira vez na nossa história que fugimos e, ao fugir, perdemos. Para onde os negros podiam ir? A quem podiam recorrer? Acho que merecemos tudo o que recebemos da Associação e mais um pouco.

— Acho que você não acredita de verdade no que diz.

— Acredito em cada palavra do que eu disse.

— Então vamos ver as coisas do ponto de vista prático: você quer bandos de negros nas nossas escolas, igrejas e cinemas? Quer que eles façam parte do nosso mundo?

— Eles são gente, não são? Não vimos problema nenhum em trazê-los da África quando eles geravam dinheiro para nós.

— Você quer que seus filhos frequentem uma escola que foi rebaixada para acomodar crianças negras?

— Atticus, você sabe que o nível de ensino da escola aqui da rua não podia ser pior. Eles têm direito às mesmas oportunidades que todos nós, têm direito às mesmas...

O pai dela pigarreou.

— Ouça, Scout, você está chateada porque me viu fazendo algo que acha errado, mas estou tentando fazer com que entenda a minha posição. Tentando com todas as minhas forças. Apenas para a sua informação: pela minha experiência, branco é branco e preto é preto. Até agora não ouvi um argumento que tenha conseguido me convencer do contrário. Tenho setenta e dois anos, mas ainda estou aberto a sugestões. Agora pense em uma coisa: o que aconteceria se todos os negros do Sul de repente tivessem todos os direitos civis? Vou lhe dizer. Haveria outra Reconstrução. Você gostaria que o seu estado fosse governado por pessoas incapazes de governar? Quer que esta cidade seja governada por... Não, espere um momento, sabemos que Willoughby não presta, mas você conhece algum negro com o mesmo conhecimento que ele? Zeebo provavelmente seria prefeito de Maycomb. Você gostaria que uma pessoa com a capacidade de Zeebo administrasse as finanças da cidade? Estamos em menor número, sabia?

"Querida, você parece não entender que os negros daqui, como povo, ainda estão na infância. Você deveria saber, viu isso a vida toda. Fizeram enormes progressos no que se refere a se adaptarem ao estilo de vida dos brancos, mas ainda têm um longo caminho pela frente. Eles estavam indo bem, progredindo em um ritmo que podiam acompanhar, mais negros votando do que jamais antes. Aí, a Associação apareceu com suas exigências estapafúrdias e ideias fajutas de governo... Você pode culpar o Sul por se indignar com o fato de pessoas que ignoram os seus problemas virem dizer o que ele deve fazer com sua própria gente?

"A Associação não quer saber se um negro é dono ou se arrenda a propriedade onde vive, se ele sabe cuidar bem da terra, se procura ou não aprender um ofício e se sustentar por seus próprios meios... Ah, não, a Associação só quer saber do voto dele. Você pode culpar o Sul por resistir à invasão de pessoas que parecem ter tanta vergonha da própria raça que querem acabar com ela? Como você pode ter nascido aqui, ter levado a vida que levou, e só enxergar o fato de que pisaram na Décima Emenda? Jean Louise, eles estão tentando nos afundar... Por onde você andou?

— Por aqui mesmo, em Maycomb.

— O que quer dizer com isso?

— Que cresci aqui na sua casa e nunca soube o que se passava na sua cabeça. Só ouvia o que você dizia. Você se esqueceu de me dizer que somos por natureza melhores que os negros, pobres daquelas carapinhas, que eles conseguiram chegar até onde chegaram, mas não devem ir além. Você se esqueceu de me dizer o que o sr. O'Hanlon me disse ontem. As palavras eram suas, mas deixou o sr. O' Hanlon dizê-las. Você é um covarde, além de um esnobe e um tirano, Atticus. Quando falava em justiça, se esquecia de dizer que justiça não tem nada a ver com pessoas... Ouvi você falar sobre o caso do filho de Zeebo hoje de manhã... Sem fazer nenhuma referência a nossa Cal-

púrnia, ao que ela significava para nós e ao quanto ela nos foi fiel...
Você viu apenas um crioulo, a Associação, e avaliou as perdas e os
ganhos, não foi?

"Eu me lembro daquele negro acusado de estupro que você de-
fendeu, mas acho que não entendi bem. Você ama a justiça, certo.
Justiça no sentido abstrato, anotada item por item em um resumo de
caso... Não tem nada a ver com aquele rapaz negro, você gosta é
de um bom resumo de caso. A acusação contra ele transtornou o seu
pensamento organizado, e você se sentiu na obrigação de pôr ordem
no caos. É uma compulsão e agora está se dando conta... Ela estava
de pé, segurando o encosto da cadeira. — Atticus, estou jogando tudo
isso na sua cara e vou reforçar: é melhor você avisar a seus amigos
mais jovens que, se querem preservar o nosso modo de viver, precisam começar em casa. Não na escola, na igreja ou em qualquer outro
lugar, mas em casa. Diga isso a eles e dê como exemplo a sua filha
cega, imoral, degenerada, que adora crioulos. Vá na minha frente
tocando um sino e dizendo "Impura!". Aponte para mim como um
erro. Aponte o dedo para mim e informe: "Esta é Jean Louise Finch,
que foi exposta a todo tipo de bobagem pela gentalha branca que
frequentava sua escola e, pela influência que tiveram sobre ela, era
melhor nem ter ido à escola. Tudo em que ela acreditava aprendeu
em casa com o pai." Você semeou as ideias em mim, Atticus, e agora
elas estão dando frutos...

— Terminou o que tinha a dizer?

Ela abriu um sorriso irônico.

— Não cheguei nem na metade. Nunca vou perdoar o que fez comigo. Você me enganou, fez com que eu saísse de casa e agora estou
em terra de ninguém, mas tudo bem... Não há mais lugar para mim em
Maycomb, e nunca vou me sentir em casa em nenhum outro lugar.

A voz dela falhou.

— Por que, em nome de Deus, não se casou de novo? Por que não
arrumou uma dama sulista frívola que teria me educado direito? Eu
seria uma dessas mulheres coquetes, de sorriso afetado, que bate os
cílios, cruza as mãos no colo e vive exclusivamente para seu amado

maridinho. Pelo menos eu seria feliz. Seria cem por cento Maycomb, viveria a minha vidinha e daria netos para você mimar, ficaria como a tia Alexandra, esparramada, me abanando com um leque na varanda da frente, e morreria contente. Por que não me explicou a diferença entre justiça e justiça, direito e direito? Por quê?

— Achei que não era necessário, e continuo achando.

— Mas era necessário, e você sabe disso. Meu Deus! E por falar em Deus, por que não me explicou que Ele criou as raças e pôs os negros na África para os missionários poderem ir até lá e dizer a eles que Jesus os amava, mas preferia que ficassem lá? Que trazermos os negros para cá foi um grande erro, e a culpa é deles? Que Jesus ama todos os seres humanos, mas há diferentes tipos de pessoas, com cercas diferentes em volta delas, e que Jesus disse que todos podem ir até onde quiserem desde que fiquem dentro dessas cercas...

— Jean Louise, volte à Terra.

Ele falou com tanta tranquilidade que ela se calou. Jean Louise tinha despejado toda a sua raiva sobre ele, mas ele permanecia ali. Recusava-se a se zangar. No fundo ela sabia que não tinha se comportado como uma dama, mas nada no mundo faria com que ele deixasse de ser um cavalheiro. Ainda assim, a raiva dentro dela a fez continuar.

— Está bem, vou voltar à Terra. Vou aterrissar bem na sala da nossa casa. Vou dizer que acreditava em você. Admirava você, Atticus, como nunca admirei nem nunca vou admirar ninguém na vida. Se tivesse ao menos me dado uma pista, faltado com a sua palavra algumas vezes, se tivesse se zangado ou se irritado comigo... Se tivesse sido um homem menos íntegro, talvez eu pudesse ter aceitado o que vi no tribunal. Se uma ou duas vezes na vida eu tivesse pego você fazendo alguma coisa desprezível, eu ontem teria entendido. Eu teria dito "é só o jeito dele, é o meu velho pai", pois estaria preparada...

A expressão do pai dela era compreensiva, quase suplicante.

— Parece que você acha que estou envolvido em algo muito ruim — disse ele. — Mas o conselho é a nossa única defesa, Jean Louise.

— O sr. O'Hanlon é a nossa única defesa?

— Querida, tenho a satisfação de poder dizer que o sr. O'Hanlon não é um integrante típico do Conselho de Maycomb. Espero que tenha notado como fiz uma apresentação breve.

— Você foi breve, mas, Atticus, aquele homem...

— O sr. O'Hanlon não é preconceituoso, Jean Louise. Ele é um sádico.

— Então por que deixaram que ele falasse?

— Porque ele queria.

— Como assim?

— Ah, sim — respondeu o pai, vago. — Ele participa de reuniões de conselhos em todo o estado. Pediu licença para falar e nós demos. Eu acho que ele é pago por alguma organização em Massachussetts....

Ele girou a cadeira e olhou pela janela.

— O que estava tentando mostrar a você é que o Conselho de Maycomb é apenas uma forma de defesa contra...

— Defesa coisa nenhuma! Atticus, não estamos mais falando da Constituição. Estou tentando lhe mostrar algo. Você sabe, você trata todo mundo igual. Nunca na vida o vi tratar os negros com a insolência ou a agressividade de quase todos os brancos daqui quando falam com eles ou lhes pedem que façam alguma coisa. Sua voz não tem aquele tom de fica-no-seu-lugar-crioulo. Mas ao mesmo tempo, como povo, você põe as mãos na frente deles e diz: "Parem aí, daqui não podem passar!"

— Pensei que concordássemos que...

A voz dela estava cheia de sarcasmo:

— Concordássemos que alguns deles são atrasados, analfabetos, sujos, ridículos, desajeitados, maus, infantis e estúpidos, mas discordamos em um ponto e vamos continuar discordando. Você nega que eles sejam humanos.

— Como assim?

— Não permite que tenham esperança. Qualquer pessoa no mundo, Atticus, qualquer um que tenha cabeça, corpo e membros, nasceu com esperança no coração. Isso não está na Constituição, eu aprendi isso na igreja ou em algum outro lugar. Eles são gente simples, na maioria, mas nem por isso são seres inferiores. Você está dizendo que Jesus os ama, mas não muito. Está usando meios horríveis para justificar fins que acha que são para o bem de todos. Sua intenção pode ser boa, e acho que acredito nos mesmos fins, mas não pode usar as pessoas como se fossem peões, Atticus. Não pode. Hitler e aquela gente na Rússia fizeram coisas ótimas pelo país deles, mas massacraram dezenas de milhões de pessoas para isso...

Atticus sorriu.

— Hitler, é?

— Você não é melhor que ele. Não é nem um ínfimo melhor. Só tenta matar a alma deles em vez do corpo. Tenta dizer: "Olhem, sejam bonzinhos. Comportem-se. Se forem bons e nos respeitarem, podem conseguir muita coisa na vida. Mas, se não nos respeitarem, não vamos dar nada a vocês e ainda vamos tomar de volta o que já demos." Eu sei que as coisas têm que acontecer devagar, Atticus, sei muito bem. Mas têm que acontecer. Fico me perguntando como seria se no Sul houvesse uma "Semana de Amabilidade com os Crioulos" durante a qual todos fossem gentis, educados e imparciais com eles. Eu me pergunto o que aconteceria. Você acha que eles iam ficar arrogantes ou convencidos? Você já foi tratado com desprezo, Atticus? Sabe como é? Não, não diga que eles são como crianças e não sentem: já fui criança e senti, então crianças grandes também devem sentir. O verdadeiro desprezo faz você achar que é muito inferior para ser considerado gente. Para mim é um mistério como eles são tão bons depois de um século sendo sistematicamente negado a eles o direito de se considerarem humanos. Imagino o milagre que conseguiríamos com uma semana de respeito. Não adianta eu dizer tudo isso, porque sei que você não dá a menor importância nem nunca vai dar Você me enganou de uma forma que não posso expressar com palavras, mas não se preocupe, porque o problema é meu. Você é a única pessoa na qual confiei plenamente, e agora acabou.

— Matei você, Scout. Fui obrigado a fazer isso.

— Não me venha mais com enrolação! Você é um senhor doce e encantador, mas não acredito mais em uma só palavra sua. Desprezo você e tudo em que você acredita.

— Pois eu amo você.

— Não ouse dizer isso! Ama coisa nenhuma! Atticus, vou embora daqui já, não sei para onde, mas vou. Não quero mais ver um Finch nem ouvir falar de um pelo resto da vida!

— Como quiser.

— Você é um velho hipócrita, um filho de uma cadela de rabo preso! Fica aí sentado e diz "como quiser" depois de me derrubar, me pisar e cuspir em mim, fica aí sentado e diz "como quiser" quando tudo o que já amei no mundo... Você fica aí sentado e diz "como quiser"...Diz que me ama! Filho de uma cadela!

— Agora chega, Jean Louise.

"Agora chega", a frase que ele usava para estabelecer o limite, no tempo em que ela ainda acreditava. Então ele me mata e ainda por cima me vem com essa... Como pode me insultar tanto? Como pode me tratar assim? Meu Deus, me tire daqui... Meu Deus, me tire daqui..."

SÉTIMA PARTE

18

Não soube como conseguiu ligar o carro, dirigir e chegar em casa sem causar um acidente grave.

"*Eu amo você. Como quiser.*" Se ele não tivesse dito isso, talvez ela tivesse sobrevivido. Se ele tivesse travado uma luta justa, ela podia ter-lhe devolvido suas palavras, mas não podia pegar mercúrio e retê-lo nas mãos.

Foi para o quarto e jogou a mala em cima da cama. "Nasci exatamente onde está essa mala. Por que você não me estrangulou na hora? Por que me deixou viver tanto?"

— Jean Louise, o que está fazendo?

— Arrumando a mala, tia.

Alexandra se aproximou da cama.

— Ainda faltam dez dias para você ir embora. Aconteceu alguma coisa?

— Tia, me deixe em paz, pelo amor de Cristo!

Alexandra se conteve.

— Agradeço se não usar essa expressão ianque nesta casa! Qual é o problema?

Jean Louise foi até o armário, arrancou os vestidos dos cabides, voltou para a cama e enfiou-os na mala.

— Isso não é jeito de arrumar uma mala — disse Alexandra.

— É o meu jeito.

Pegou os sapatos ao lado da cama e atirou-os em cima dos vestidos.

— O que houve, Jean Louise?

— Tia, pode divulgar um comunicado informando que vou para tão longe do condado Maycomb que vou demorar um século para voltar! Não quero mais ver este lugar, nem ninguém daqui, e isso inclui todos vocês, o agente funerário, o juiz e o presidente do Conselho da Igreja Metodista!

— Você teve uma briga com Atticus, não foi?

— Tive.

Alexandra sentou-se na cama e juntou as mãos.

— Jean Louise, não sei qual foi o motivo, e pela sua cara deve ter sido uma briga feia, mas sei de uma coisa. Um Finch nunca foge.

Ela se virou para a tia.

— Pelo amor de Deus, não venha me dizer o que um Finch faz ou deixa de fazer! Estou por aqui com o que os Finch fazem, não aguento nem mais um segundo! Você tem enfiado isso pela minha goela abaixo desde que nasci... O seu pai isso, os Finch aquilo! Meu pai é uma pessoa abominável e o tio Jack parece Alice no País das Maravilhas! E você, você é uma velha tacanha e metida a besta...

Jean Louise se calou, fascinada pelas lágrimas que escorriam pelo rosto de Alexandra. Nunca tinha visto a tia chorar; parecia com as outras pessoas quando estava chorando.

— Tia, por favor, me perdoe. Por favor, diga que me perdoa... Foi um golpe baixo.

Alexandra arrancava fios soltos da colcha de crochê.

— Tudo bem, não se preocupe.

Jean Louise deu um beijo na bochecha dela.

— Hoje não estou muito bem. Acho que quando a gente se magoa o primeiro instinto é revidar. Não sou uma dama, tia, mas você é.

— Engano seu, Jean Louise. Você é uma dama — disse Alexandra, enxugando as lágrimas. — Mas é bastante peculiar às vezes.

Jean Louise fechou a mala.

— Tia, continue achando que sou uma dama só mais um pouco, só até as cinco horas, quando Atticus chegar em casa. Então vai descobrir que não é bem assim. Bom, adeus.

Estava levando a mala para o carro quando viu um táxi branco, o único da cidade, aproximar-se e deixar o dr. Finch na calçada.

Me procure. Quando não aguentar mais, me procure. "Bem, eu não aguento mais você. Não aguento mais as suas parábolas e divagações. Me deixe em paz. Você é gentil, engraçado e tudo mais, mas, por favor, me deixe em paz."

Pelo canto do olho, viu o tio percorrer calmamente a entrada da garagem. "Ele dá passos tão largos para um homem tão pequeno", ela pensou. "É uma das coisas que vou me lembrar dele." Virou-se e enfiou a chave na fechadura do porta-malas do carro, mas era a chave errada. Tentou outra. O porta-malas se abriu e ela levantou a tampa.

— Vai a algum lugar?

— Sim, senhor.

— Vai para onde?

— Vou pegar o carro, dirigir até o entroncamento de Maycomb e ficar sentada lá até passar o primeiro trem. Diga para Atticus que, se quiser o carro de volta, pode mandar alguém buscá-lo.

— Pare de sentir pena de si mesma e ouça o que vou dizer.

— Tio Jack, estou tão farta e cansada de ouvir vocês que tenho vontade de começar a gritar! Pode me deixar em paz? Parar de me atormentar um minuto?

Ela bateu a tampa do porta-malas, tirou a chave e, quando se endireitou, sentiu o dorso da mão do dr. Finch atingi-la com força na boca.

A cabeça dela virou para a esquerda e encontrou a mão pronta para dar outro violento tapa. Ela se desequilibrou e se segurou no carro para se recompor. Viu o rosto do tio brilhando em meio a minúsculas luzinhas.

— Estou tentando fazer com que me escute — disse o dr. Finch.

Ela apertou os olhos, as têmporas, as laterais da cabeça. Esforçou-se para não desmaiar, para não vomitar, para a cabeça parar de rodar. Sentiu sangue entre os dentes e cuspiu no chão. Aos poucos, as reverberações em sua cabeça diminuíram e os ouvidos pararam de zumbir.

— Abra os olhos, Jean Louise.

Ela piscou várias vezes e por fim conseguiu colocar o rosto do tio em foco. Ele estava com a bengala pendurada no braço esquerdo, o terno imaculado, com um botão de rosa vermelho na lapela. Estava oferecendo o lenço para ela. Jean Louise o pegou e limpou a boca. Estava exausta.

— Já esgotou toda a raiva?

Ela assentiu.

— Não posso mais lutar contra eles — ela disse.

O dr. Finch pegou o braço dela.

— Mas também não pode ficar ao lado deles, não é? — murmurou ele.

Ela sentiu a boca inchar e mexeu os lábios com dificuldade.

— Você quase me nocauteou. Estou tão cansada.

Em silêncio, o tio a acompanhou até a casa e a conduziu pelo corredor até o banheiro. Fez com que se sentasse na borda da banheira e abriu o armário de remédios. Colocou os óculos, olhou para cima e pegou um frasco na prateleira do alto. Pegou um chumaço de algodão em um pacote e virou-se para ela.

— Levante a cabeça — disse ele. Encharcou o algodão com o líquido, puxou o lábio superior dela, fez uma careta e bateu de leve com o algodão nos cortes. — Isso vai impedir que infeccione. Zandra! — gritou.

Alexandra veio da cozinha.

— O que foi, Jack? Jean Louise, pensei que você...

— Está tudo bem. Nesta casa tem água que passarinho não bebe? — perguntou o dr. Finch.

— Jack, não diga bobagens.

— Vamos, eu sei que você usa para fazer bolo de frutas. Pelo amor de Deus, minha irmã, traga-me um uísque! Vá para a sala, Jean Louise.

Zonza, ela foi até a sala e se sentou. O tio foi atrás, carregando em uma das mãos um copo com três dedos de uísque e na outra um copo d'água.

— Se beber tudo de uma vez, ganha uma moeda — ele disse.

Jean Louise bebeu e quase sufocou.

— Prenda a respiração, boba. Agora, tome um gole de água.

Ela pegou o copo d'água e bebeu rápido. Fechou os olhos e deixou que o álcool cálido escorresse por dentro dela. Ao abrir os olhos, viu o tio sentado no sofá, olhando placidamente para ela.

— Como se sente? — perguntou ele.

— Com calor.

— É por causa da bebida. Me diga o que tem dentro desta cabeça.

— Um vazio, meu senhor — disse ela baixinho.

— Garota abusada, não me venha com citações! Diga como se sente.

Ela franziu o cenho, juntou as sobrancelhas e tocou a boca dolorida com a língua.

— Me sinto diferente de alguma forma. Estou sentada aqui, mas é como se estivesse sentada no meu apartamento em Nova York. Não sei... me sinto estranha.

O dr. Finch se levantou, enfiou as mãos nos bolsos, tirou-as, colocou-as para trás.

— Bem, acho que vou tomar uma dose também. Nunca tinha batido em uma mulher na vida. Acho que vou dar uma bofetada na sua tia e ver o que acontece. Fique sentada aí quietinha um minuto.

Jean Louise ficou sentada e riu ao ouvir o tio perturbando a irmã na cozinha.

— Claro que vou tomar um drinque, Zandra. Eu mereço. Não saio por aí batendo em mulher todos os dias e vou lhe dizer, se você não está acostumado, fica com o corpo todo dolorido... Ah, ela está bem... Não consigo identificar a diferença entre bebê-lo e comê-lo... Todos nós vamos para o inferno, é só uma questão de tempo... Não seja uma velha chata, irmã, ainda não estou com o pé na cova... Por que também não toma um?

Ela teve a sensação de que o tempo tinha parado e ela estava em um agradável vazio. Não havia nada em volta, nem nenhum ser, mas uma aura de difusa cordialidade. "Estou ficando bêbada", pensou.

O tio voltou para a sala bebericando um copo alto com gelo, água e uísque.

— Olha o que consegui com a Zandra. Acabei com o bolo de frutas dela.

Jean Louise tentou fazer com que ele voltasse ao assunto.

— Tio Jack, algo me diz que você sabe o que aconteceu essa tarde.

— Eu sei. Sei de cada palavra que você disse para Atticus e quase ouvi de casa a sua briga com Henry.

"Velho desgraçado, ele me seguiu até a cidade."

— Ficou ouvindo escondido? Tudo...

— Claro que não. Acha que está em condições de falar sobre isso agora?

Falar sobre isso?

— Acho que sim. Quer dizer, se você for direto comigo. Acho que não vou aguentar de novo ouvir sobre o bispo Colenso.

O dr. Finch se ajeitou no sofá e se inclinou na direção dela.

— Vou ser direto com você, minha querida. Sabe por quê? Porque agora posso.

— Pode?

— Sim. Pense no que houve, Jean Louise. Pense em ontem, no café hoje de manhã, no que aconteceu essa tarde...

— O que sabe sobre hoje de manhã?

— Nunca ouviu falar em telefone? Pois Zandra teve o maior prazer em responder a algumas perguntas sensatas. O seu telégrafo verbal chega em todo canto, Jean Louise. Hoje à tarde tentei ajudá-la indiretamente a digerir, pensar melhor, amenizar um pouco as coisas...

— Amenizar o quê, tio Jack?

— Amenizar a sua chegada a este mundo.

Quando o dr. Finch tomou um gole do uísque, Jean Louise viu seus olhos castanhos e atentos brilharem por cima do copo. "É isso que tendemos a esquecer a respeito dele", ela pensou. "Ele é tão cheio de trejeitos que não notamos como nos observa atentamente. Concordo que é doido de pedra, mas sabe tanta coisa. Céus, estou bêbada."

— Pense bem — disse o tio. — Ainda está aí, não está?

Ela pensou. Sim, ainda estava. Cada palavra. Mas algo tinha mudado. Ficou em silêncio, lembrando.

— Tio Jack — disse finalmente —, ainda está tudo aqui. Aconteceu. Já foi. Mas, de alguma maneira, agora consigo suportar. É... suportável.

Ela estava falando a verdade. Não tinha sido a passagem do tempo que tinha tornado tudo suportável. O dia de hoje continuava sendo o dia de hoje, e ela olhou para o tio com assombro.

— Graças a Deus — disse o dr. Finch baixinho. — Sabe por que ficou suportável, querida?

— Não, senhor. Estou satisfeita com as coisas como estão. Não quero entender, só quero ficar assim.

Sentiu que o tio a observava e virou a cabeça de lado. Não confiava nele. "Se ele começar a falar em Mackworth Praed e disser que sou igualzinha a ele, estarei no entroncamento de Maycomb antes do anoitecer."

— Você ia acabar chegando a essa conclusão sozinha — ouviu-o dizer. — Mas deixe-me ajudá-la. Você teve um dia agitado. A situação ficou suportável, Jean Louise, porque agora você é você.

"Nada de Mackworth Praed, eu mesma." Olhou para o tio.

O dr. Finch esticou as pernas.

— É meio complicado e não quero que cometa o erro de se orgulhar dos seus complexos... Ia nos azucrinar pelo resto de nossas vidas, portanto, deixemos isso de lado. A ilha de cada homem, Jean Louise, o vigia de cada um é sua própria consciência. Não existe essa coisa de consciência coletiva.

Isso era novidade vindo dele. Mas se o deixasse falar, ia acabar chegando no século XIX.

— Você, senhorita, que nasceu com consciência própria, a certa altura se grudou feito uma craca na consciência do seu pai. Ao crescer e se tornar adulta, sem perceber, confundiu o seu pai com

Deus. Nunca o viu como um homem com o coração e os defeitos de um homem... Reconheço que deva ser difícil ver isso, porque ele comete tão poucos erros, mas erra como qualquer um de nós. Você era uma aleijada emocional, apoiada nele, procurando as respostas nele, assumindo que as suas conclusões seriam também as dele, sempre.

Jean Louise escutava aquela figura sentada no sofá.

— Quando, por acaso, você o viu fazer uma coisa que parecia uma antítese da consciência dele, da sua consciência, você literalmente não conseguiu suportar. Ficou fisicamente doente. A vida virou um inferno. Você tinha de se matar, ou ele tinha de matar você para que funcionasse como um ser autônomo.

"Me matar. Ou matá-lo. Eu tinha de matá-lo para viver..."

— Você fala como se soubesse disso há muito tempo, tio Jack. Você...

— Sei mesmo. E o seu pai também. Às vezes, nos perguntávamos quando a sua consciência ia se separar da dele, e o que detonaria esse processo. — O dr. Finch sorriu. — Bom, agora sabemos. Fico contente por estar por perto quando a confusão começou. Atticus não ia conseguir falar com você como estou falando...

— Por que não?

— Porque você não ouviria. Não conseguiria ouvir. Nossos deuses vivem muito distantes de nós, Jean Louise. Nunca devem descer ao nível dos seres humanos.

— Foi por isso que ele... ele não me atacou? Por isso nem tentou se defender?

— Ele estava deixando que você destruísse cada um dos seus ídolos. Deixou que você o reduzisse à condição de ser humano.

Amo você. Como quiser. Se fosse com um amigo, ela teria tido apenas uma discussão acalorada, uma troca de ideias, uma discordância de pontos de vista. Atticus, porém, ela tentou destroçar. Tentou despedaçá-lo, destruí-lo, aniquilá-lo. *Childe Roland à torre negra chegou.*

— Entende o que eu digo, Jean Louise?

— Sim, tio Jack, eu entendo.

O dr. Finch cruzou as pernas e enfiou as mãos nos bolsos.

— Quando você parou de fugir e deu meia-volta, esse movimento exigiu muita coragem.

— Como assim?

— Ah, não o tipo de coragem que faz um soldado ir lutar em uma terra de ninguém. Ele faz isso porque tem que fazer. A coragem a que me refiro é... bom, é parte da nossa vontade de viver, parte do nosso instinto de sobrevivência. Às vezes, precisamos matar um pouco para podermos viver... Quando não o fazemos, quando as mulheres não o fazem, elas choram até dormir e a mãe tem que lavar as meias delas todos os dias.

— O que você quer dizer com "quando parei de fugir"?

Dr. Finch riu.

— Você sabe — disse ele —, você é muito parecida com o seu pai. Tentei lhe mostrar isso hoje, e lamento dizer que usei táticas que o finado George Washington Hill invejaria... Você é muito parecida com seu pai, só que você é uma fanática e ele, não.

— Não entendi.

O dr. Finch mordeu o lábio inferior e o soltou.

— Isso mesmo, uma fanática. Não uma grande fanática, mas apenas uma fanática comum, do tamanho de um nabo, digamos assim.

Jean Louise se levantou e foi até a estante de livros. Pegou um dicionário e folheou.

— "Fanático" — ela leu. — "Substantivo. Pessoa que defende obstinadamente ou com intransigência a própria religião, partido, crença ou opinião." Explique-se, senhor.

— Só estava tentando responder a sua pergunta. Deixe-me elaborar um pouco essa definição: o que faz um fanático quando se depara com uma pessoa que discorda das opiniões dele? Não cede, se mantém inflexível. Não tenta nem ouvir, apenas ataca. Mas você foi virada do avesso por causa dessa grande decepção com o seu pai, então fugiu. E como fugiu.

"Desde que chegou aqui, certamente já deve ter ouvido algumas coisas bem ofensivas, mas em vez de montar no seu corcel e atacar às cegas seu inimigo, você deu meia-volta e correu. Na verdade, você pensou: "Não gosto do modo de agir dessas pessoas, portanto não tenho tempo para elas." Mas é melhor dedicar algum tempo a elas, querida, senão nunca vai crescer. Aos sessenta anos vai ser a mesma pessoa que é hoje... E então será um caso clínico, e não a minha sobrinha. Você tem tendência a não abrir espaço na sua mente para as ideias e as opiniões das outras pessoas, não importa quão tolas elas sejam. — Dr. Finch juntou as mãos e as colocou atrás da cabeça. — Pelo amor de Deus, querida, as pessoas não estão de acordo com a Ku Klux Klan, mas tampouco tentam impedir que se cubram com lençóis e façam papel de idiotas em público.

Por que deixaram o sr. O'Hanlon falar? Porque ele queria. "Céus, o que foi que eu fiz?"

— Mas eles espancam gente, tio Jack...

— Isso é outra coisa, mais uma coisa que você não levou em consideração em relação ao seu pai. Você se esmerou no seu discurso sobre déspotas, Hitlers e filhos de uma cadela de rabo preso... Aliás, de onde você tirou isso? Me faz lembrar de uma noite fria de inverno, caçando gambás...

Jean Louise ficou envergonhada.

— Ele contou tudo isso a você?

— Ah, sim, mas não se preocupe com os xingamentos. Ele tem a casca de um advogado. Já foi chamado de coisa pior.

— Mas não pela própria filha.

— Bem, como eu ia dizendo...

Pela primeira vez desde que tinha lembrança, o tio estava levando a conversa de volta ao ponto. Pela segunda vez desde que tinha lembrança, o dr. Finch fazia algo nada característico dele: a primeira tinha sido quando ficou sentado calado na sala da antiga casa deles, ouvindo taciturno os murmúrios: "Deus nunca dá algo maior do que podemos suportar", e disse: "Meus ombros estão doendo. Tem uísque nesta casa?"

"Hoje é o dia dos milagres", ela pensou.

— ... a Ku Klux Klan pode desfilar por aí o quanto quiser, mas quando começam a jogar bombas e espancar pessoas, não sabe que é o primeiro a tentar impedir que façam isso?

— Sei.

— Ele vive para cumprir a lei. Faz de tudo para impedir que uma pessoa espanque outra, e em seguida se vira e vai tentar impedir nada menos que o governo federal... Assim como você, menina. Você voltou e enfrentou o seu próprio deus de lata... Mas lembre-se de uma coisa: ele sempre vai fazer isso de acordo com a lei e no espírito da lei. É sua maneira de viver.

— Tio Jack...

— Não se sinta culpada, Jean Louise. Você não fez nada de errado hoje. E, pelo amor do cardeal John Henry Newman, não comece a se preocupar com o fato de ser fanática. Eu já disse que o seu fanatismo é do tamanho de um nabo.

— Mas, tio Jack...

— Lembre-se disto também: é sempre fácil olhar para o passado e ver como éramos ontem ou dez anos atrás. Difícil é ver o que somos hoje. Se conseguir fazer isso, vai sobreviver.

— Tio Jack, pensei que tinha passado por toda essa fase de desilusão com os pais quando me formei, mas tem uma coisa...

O tio começou a remexer nos bolsos do paletó. Achou o que queria, tirou um cigarro do maço e perguntou:

— Tem fósforo?

Jean Louise ficou pasma.

— Perguntei se você tem fósforo.

— Ficou louco? Você me passou o maior sermão quando me pegou fumando... seu velho cretino!

Tinha sido em um Natal em que ele a surpreendeu no porão da casa com cigarros roubados.

— Isso deveria provar para você que não há justiça no mundo. Às vezes, eu fumo. É a minha única concessão à velhice. Às vezes, fico nervoso... O cigarro me dá alguma coisa para fazer com as mãos.

Jean Louise achou uma caixa de fósforos na mesa ao lado de onde estava sentada. Acendeu o cigarro do tio. "Alguma coisa para fazer com as mãos", ela pensou. Pensou em quantas vezes aquelas mãos, enfiadas em luvas de borracha, impessoais e onipotentes, tinham devolvido a saúde de uma criança. "Ele é doido, sem dúvida."

O dr. Finch segurava o cigarro entre o polegar e dois dedos. Olhou para ele pensativo.

— Você é daltônica, Jean Louise. Sempre foi e sempre será. As únicas diferenças que vê entre as pessoas são a aparência, a inteligência, a personalidade e coisas assim. Nunca encarou as pessoas de acordo com sua raça, e agora que a raça é o assunto inflamável do dia, você ainda é incapaz de pensar em termos de raça. Você vê apenas pessoas.

— Mas, tio Jack, não pretendo sair correndo e me casar com um negro ou algo parecido.

— Sabe, exerci a medicina por quase vinte anos e temo que ainda veja o ser humano principalmente em termos de sofrimento relativo, mas vou me arriscar a fazer uma pequena declaração. Nada neste mundo garante que o fato de frequentar a mesma escola que um negro, ou um monte de negros, vai fazer com que tenha vontade de se casar com um negro. Essa é uma das bobagens que os defensores da supremacia branca ficam repetindo sem parar. Quantos casais multirraciais você viu em Nova York?

— Se for parar para pensar, poucos. Relativamente, quero dizer.

— Pois é. Os defensores da supremacia branca são muito espertos. Se não conseguem nos assustar com o argumento da inferioridade essencial, eles o envolvem com um miasma de sexo, porque sabem que esse é o grande medo enraizado nos nossos corações fundamentalistas. Tentam aterrorizar as mães do Sul dizendo que seus filhos e filhas podem crescer e se apaixonar por um negro ou uma negra. Se não tivessem transformado isso em um problema, o problema raramente surgiria. E se surgisse, seria resolvido em âmbito privado. A Associação Nacional para o Progresso das Pessoas de Cor também tem muita responsabilidade nesse sentido. Mas os defensores da supremacia branca temem a razão, pois sabem que podem ser derrotados por ela. O preconceito, uma palavra suja, e a fé, uma palavra sagrada, têm algo em comum: os dois começam onde termina a razão.

— É estranho, não acha? — ponderou Jean Louise.

— É uma das estranhezas do mundo. — O dr. Finch se levantou do sofá e apagou o cigarro em um cinzeiro na mesa ao lado dela. — Agora, mocinha, leve-me para casa, são quase cinco horas. Está quase na hora de você ir buscar o seu pai.

Jean Louise despertou.

— Buscar Atticus? Nunca mais vou conseguir olhar nos olhos dele!

— Escute aqui, garota, precisa se livrar de um hábito que já dura vinte anos, e vai ter que fazer isso logo. Começando agora. Acha que Atticus vai fulminá-la com um raio?

— Depois do que eu disse a ele? Depois que...

O dr. Finch bateu com a bengala no chão.

— Jean Louise, não conhece o seu pai?

Não. Não conhecia. Estava apavorada.

— Acho que vai se surpreender — disse o tio.

— Tio Jack, não consigo.

— Não me diga que não consegue, garota! Se repetir isso, bato em você com esta bengala, estou falando sério!

Foram para o carro.

— Jean Louise, nunca pensou em voltar para casa?

— Casa?

— Agradeceria muito se parasse de repetir o último sintagma ou a última palavra de tudo que eu digo. Casa, isso mesmo, casa.

Jean Louise sorriu. Ele estava voltando a ser o tio Jack de sempre.

— Não, senhor — respondeu ela.

— Bom, sem querer sobrecarregá-la, será que poderia fazer um esforço e considerar essa possibilidade? Pode ser que não saiba, mas aqui tem lugar para você.

— Quer dizer que Atticus precisa de mim?

— Não é bem isso. Eu estava me referindo a Maycomb.

— Seria ótimo, eu contra todo o resto da cidade. Se a vida for um fluir infinito do tipo de coisa que ouvi essa manhã, acho que não vou me adaptar.

— Essa é uma coisa que você ainda não percebeu em relação ao Sul. Ia ficar impressionada se soubesse quantas pessoas estão do seu lado, se é que "lado" é a palavra certa. Você não é um caso especial. Os bosques estão cheios de gente como você, mas precisamos de mais.

Ela ligou o carro e saiu de ré.

— O que diabos eu poderia fazer? Não posso lutar contra eles. Não tenho mais forças...

— Não me refiro a lutar, estou falando de sair para trabalhar todo dia de manhã e voltar para casa à tarde, encontrar seus amigos.

— Tio Jack, não posso morar em um lugar do qual discordo e que discorda de mim.

— Hum. Melbourne disse que...

— Se começar a falar do que Melbourne disse, paro o carro aqui mesmo e ponho você para fora! Sei que você detesta caminhar... Ir e voltar da igreja e passear com aquela gata pelo jardim são o suficiente. Ponho você para fora, pode acreditar!

O dr. Finch suspirou.

— Você é muito beligerante com um velho frágil, mas, se quer continuar nas trevas, a escolha é sua...

— Velho frágil uma ova! Você é tão frágil quanto um crocodilo!

Jean Louise tapou a boca com a mão.

— Muito bem, se não vai me deixar dizer o que Melbourne disse, vou usar minhas próprias palavras. É quando estão errados que os seus amigos mais precisam de você, Jean Louise, e não quando estão certos...

— O que quer dizer com isso?

— Que é preciso uma certa maturidade para viver no Sul atualmente. Você ainda não tem essa maturidade, mas tem um prenúncio dela. Não tem a humildade intelectual para...

— Pensei que temer a Deus fosse o início da sabedoria.

— É a mesma coisa. Humildade.

Chegaram à casa dele. Ela parou o carro.

— Tio Jack— ela perguntou, o que vou fazer com Hank?

— O que quiser fazer quando for o momento — ele respondeu.

— Terminar com ele sem magoá-lo?

— Arrã.

— Por quê?

— Ele não é da sua espécie.

Ame a quem quiser, mas se case com alguém da sua espécie.

— Veja bem, não vou discutir com você sobre os méritos relativos da gentalha...

— Não tem nada a ver com isso. Cansei de você, Jean Louise. Quero jantar. — O dr. Finch segurou o queixo dela. — Boa tarde, senhorita — disse ele.

— Por que fez tudo isso por mim hoje? Sei que detesta sair desta casa.

— Porque você é minha filha. Você e Jem foram os filhos que não tive. Os dois me deram algo há muito tempo, e estou tentando retribuir. Vocês me ajudaram muito...

— Como?

O dr. Finch franziu o cenho.

— Não sabia? Atticus não deu um jeito de contar a você? Bem, estou admirado que Zandra não tenha... Céus, pensei que Maycomb inteira soubesse.

— Soubesse o quê?

— Que fui apaixonado pela sua mãe.

— Minha mãe?

— É. Quando Atticus se casou com ela, vim de Nashville passar o Natal e essas coisas, e me apaixonei completamente por ela. Ainda sou... não sabia?

Jean Louise encostou a cabeça no volante.

— Tio Jack, estou tão envergonhada de mim mesma que não sei o que fazer. Gritar feito uma... ah, quero me matar!

— Eu não faria isso. Já houve muita autoflagelação para um dia só.

— Esse tempo todo, você...

— Pois é, querida.

— Atticus sabia?

— Sem dúvida.

— Tio, estou me sentindo do tamanho de uma ervilha.

— Bom, não foi essa a minha intenção. Você não está sozinha, Jean Louise, você não é um caso especial. Agora vá buscar o seu pai.

— Você fala tudo isso assim, sem mais?

— Arrã. Assim, sem mais. Como eu disse, você e Jem foram muito especiais para mim... Foram meus filhos sonhados, mas isso, como diria Kipling, é uma outra história... Procure-me amanhã e encontrará um homem sério.*

Ele era a única pessoa que ela conhecia que conseguia parafrasear três autores em uma só frase e tudo fazer sentido.

— Obrigada, tio Jack.

— Obrigado a *você*, Scout.

O dr. Finch saiu do carro e fechou a porta. Enfiou a cabeça pela janela, franziu o cenho e disse, com voz contida:

Há muito tempo fui uma jovem muito estranha,
*Que sofria de tédio e desmaiava por qualquer coisa***

Jean Louise estava a meio caminho da cidade quando se lembrou. Pisou no freio, debruçou-se na janela e gritou para a solitária figura que ainda se via ao longe:

— *Mas só fazíamos travessuras respeitáveis*, não é, tio Jack?

---

* "Meus filhos sonhados" é uma alusão ao ensaio *Dream Children*, de Charles Lamb (1775-1834), e "Procure-me amanhã e encontrará um homem sério" ao trecho de *Romeu e Julieta*, de William Shakespeare, *"Ask for me tomorrow, and you shall find me a grave man"*. O outro autor que ele cita é Rudyard Kipling. *(*N. do E.)

** Trecho da opereta *Ruddigore or the Witch's Curse*, de Gilbert e Sullivan. (N. da T.)

19

Ela entrou na antessala do escritório. Viu que Henry continuava na mesa dele. Foi até lá.

— Hank?

— Olá — ele cumprimentou.

— Esta noite, às sete e meia? — ela perguntou.

— Certo.

Enquanto marcavam a data e a hora para a despedida, uma onda surgiu, retornando a ela, e Jean Louise correu ao seu encontro. Henry fazia parte dela, tão atemporal quanto Finch's Landing, os Coninghams e Old Sarum. Em Maycomb e no condado Maycomb Henry tinha aprendido coisas que ela nunca soube nem nunca iria saber, e Maycomb tinha feito com que ela não pudesse ser nada para ele além de sua amiga mais antiga.

— Você está aí, Jean Louise?

Ela se assustou com a voz do pai.

— Estou.

Atticus saiu do escritório para a antessala e pegou o chapéu e a bengala na chapeleira.

— Está pronta? — ele perguntou.

"Pronta. Ele pergunta se estou pronta. Quem é você, que tentei aniquilar e reduzir a pó e que vem e me pergunta se estou pronta? Não posso vencê-lo, não posso me juntar a você. Não sabe disso?"

Ela se aproximou do pai.

— Atticus, eu...

— Pode estar arrependida, mas me orgulho de você.

Ela olhou para cima e viu o pai sorrindo.

— O que disse?

— Disse que estou orgulhoso de você.

— Não entendo você. Não entendo os homens e nunca vou entender.

— Bem, eu esperava que uma filha minha defendesse o que acha certo... e que me enfrentasse, em primeiro lugar.

Jean Louise coçou o nariz.

— Xinguei você de algumas coisas bem feias — ela admitiu.

— Posso suportar que me chamem de qualquer coisa, desde que não seja verdade. Você nem sabe xingar, Jean Louise. Por falar nisso, onde aprendeu aquela história de rabo preso?

— Bem aqui em Maycomb.

— Meu Deus, as coisas que você aprendeu aqui.

"Meu Deus, as coisas que aprendi. Eu não queria que o meu mundo fosse perturbado, mas quis destruir o homem que está tentando preservar esse mundo para mim. Eu queria acabar com todas as pessoas iguais a ele. Acho que é como com um avião: eles são a resistência e nós somos a propulsão; juntos, fazemos a coisa voar. Se nós formos muitos, o nariz da aeronave pesa; se eles forem muitos, a cauda pesa... É uma questão de equilíbrio. Não posso vencê-lo, mas tampouco posso me juntar a ele..."

— Atticus?

— O que foi?

— Acho que te amo demais.

Viu seu velho inimigo relaxar os ombros e empurrar o chapéu para trás.

— Vamos para casa, Scout. Foi um longo dia. Abra a porta do carro para mim.

Ela se afastou para ele passar. Seguiu-o até o carro e viu-o sentar-se com esforço no banco da frente. Quando, em silêncio, deu a ele boas-vindas à raça humana, uma pontada de lucidez fez com que ela estremecesse um pouco. "Alguém pisou sobre o meu túmulo. Provavelmente Jem levando algum recado absurdo", ela pensou.

Deu a volta no carro e, dessa vez, quando foi se sentar ao volante, tomou cuidado para não bater a cabeça.

Este livro foi composto na tipologia Olympian
LT Std, em corpo 10/15, no Sistema Cameron
da Divisão Gráfica da Distribuidora Record.

Capa impressa em papel Cartão Supremo Alta
250g/m² e miolo em papel Pólen Soft 80g/m²
da Suzano Papel e Celulose, produzidos a partir de florestas renováveis de eucalipto. Cada
árvore utilizada foi plantada para este fim.